CUADERNOS DE FILOSOFIA Y ENSAYO

Director: MANUEL GARRIDO

Javier Aracil: *Máquinas, sistemas y modelos.*
José Luis L. Aranguren: *Propuestas morales* (2.ª ed.).
Y. Bar-Hillel y otros: *El pensamiento científico.*
Mario Bunge: *Controversias en física.*
Mario Bunge: *Economía y filosofía* (2.ª ed.).
Mario Bunge: *Intuición y razón.*
J. N. Crossley y otros: *¿Qué es la lógica matemática?*
Manuel Cruz: *Del pensar y sus objetos.* Sobre Filosofía y Filosofía contemporánea.
Charles Darwin: *Ensayos sobre el instinto.*
Félix Duque: *Filosofía de la técnica de la naturaleza.*
Javier Esquivel y otros: *La polémica del materialismo.*
Andrew Feenberg: *Más allá de la supervivencia.* El debate ecológico.
Paul Feyerabend: *Adiós a la razón.*
Paul Feyerabend: *¿Por qué no Platón?*
Gottlob Frege: *Investigaciones lógicas.*
Sigmund Freud: *Compendio del psicoanálisis.*
Sigmund Freud: *Los sueños.* Estudio preliminar de Ernst Jones.
Jürgen Habermas: *Ciencia y técnica como «ideología».*
Jürgen Habermas: *Sobre Nietzsche y otros ensayos.*
Hans Hermes: *Introducción a la computabilidad.*
José Jiménez: *La estética como utopía antropológica.* Bloch y Marcuse.
L. Kolakowski: *Si Dios no existe...* Sobre Dios, el diablo, el pecado y otras preocupaciones de la llamada Filosofía de la Religión.
Ramiro Ledesma Ramos: *La filosofía, disciplina imperial.*
Benson Mates: *Lógica de los estoicos.*
H. O. Mounce: *Introducción al «Tractatus» de Wittgenstein.*
Carlos P. Otero: *La revolución de Chomsky.* Ciencia y sociedad.
Karl R. Popper: *Sociedad abierta, universo abierto.*
José Sanmartín: *Una introducción constructiva a la teoría de modelos* (2.ª ed.).
A. M. Turing, H. Putnam y D. Davidson: *Mentes y máquinas.*
A. N. Whitehead: *La función de la razón.*

LOS SUEÑOS

SIGMUND FREUD

LOS SUEÑOS

ESTUDIO PRELIMINAR DE
ERNST JONES

Traducción: Jaime Cabrera Calvo Sotelo (texto de E. Jones) y
Luis López Ballesteros y de Torres
(texto de S. Freud, con revisión por
el Dr. Jacobo Numhauser Tognola)

Diseño de cubierta: J. M. Domínguez y J. Sánchez Cuenca

Impresión de cubierta: Gráficas Molina

Editorial Tecnos agradece a la Biblioteca Nueva el permiso
concedido para la reproducción del texto de Sigmund Freud.

Printed in Spain. Impreso en España por Gama. Tracia, 17 - Madrid.

INDICE

ESTUDIO PRELIMINAR

LA TEORIA FREUDIANA DE LOS SUEÑOS

por Ernst Jones

La teoría de los sueños de Freud ocupa una posición central en su psicología, constituyendo, como tal, un lugar de conjunción para sus varias conclusiones sobre la vida mental normal y anormal respectivamente. Haciendo de ella un punto de arranque, ha desarrollado perspectivas que reclaman la más seria consideración de los psicólogos. Porque es generalmente aceptado que sus conclusiones, si son verdaderas, llevan consigo un cambio revolucionario en nuestro conocimiento de la estructura y funciones de la mente. Estos aspectos más amplios de su teoría no serán considerados aquí; el presente ensayo pretende tan sólo delinear un bosquejo del contenido de la teoría de los sueños. Pero dada la riqueza de esta materia, ni siquiera tal propósito puede ser aquí, por fuerza, logrado sino muy imperfectamente, de suerte que la descripción siguiente sólo podrá, como mucho, servir de introducción al estudio de su *Traumdeutung (Interpretación de los sueños)* [1]. No se puede hacer una crítica justa de tal teoría sin

---

[1] Primera edición, 1900; quinta edición, 1919. Antes de esta obra, particularmente difícil, de Freud, conviene leer sus *Vorlesungen zur Einführung in die Psychoanalyse,* Zweiter Teil, «Der Traum», 1916 *(Lecciones introductorias al psicoanálisis,* Parte II, «El sueño»).

una cuidadosa utilización de este volumen, en el cual Freud ha entrado con detalle en todos los numerosos problemas relativos a los sueños, ha presentado las evidencias en que se basan sus conclusiones y ha discutido a fondo los puntos de vista rivales y anticipado las posibles objeciones que cabría oponer al suyo propio. Unos cuantos ejemplos ilustrativos, extraídos de la experiencia del autor, acompañarán al presente ensayo, mas, para economizar espacio, no llevaré efectivamente a cabo análisis detallados de sueños, propósito éste que dejo para un ensayo ulterior.

El método que utiliza Freud en la investigación de los sueños es el denominado por él psicoanálisis, y en la cuestión de la fiabilidad de este método descansa la de la validez de sus conclusiones. Una presentación cabal del psicoanálisis no tendría cabida aquí, porque ello exigiría por sí sólo una larga exposición, pero convendría establecer explícitamente que la técnica de este método es un asunto complejo e intrincado, cuya adquisición no es, como muchos escritores parecen asumir con excesiva presteza, una tarea fácil, sino que requiere mucha práctica, paciencia y experiencia. En ninguna rama de la ciencia puede el examen de los resultados obtenidos por el uso de una técnica difícil y totalmente nueva ser satisfactoriamente sometido a un juicio improvisado por parte de alguien poco entrenado en ella; y es extraño que a aquellos que no encuentran una confirmación directa de las conclusiones de Freud no bien «intentan probar el psicoanálisis», no se les ocurra que ese hecho pudiera deberse no, como precipitadamente infieren, a lo erróneo de esas conclusiones, sino a una explicación más humilde: a saber, que no han llegado a dominar esa técnica. Se han publicado artículos que pretenden refutar las conclusiones de Freud sobre la base de un escrutinio casual de tres o cuatro sueños; Freud, por el contrario, no publicó nada sobre el asunto hasta que hubo elaborado un estudio meticuloso sobre más de mil sueños. En mi opinión, la *Traumdeutung (Interpretación de los sueños)* es una de las piezas más acabadas de trabajo elaborado ofrecidas nunca al mundo. Es un hecho digno de mencionarse que en los veinte años que han transcurrido desde que se escribió, sólo otro investigador, Silberer, ha sido capaz de añadir algo —y sólo un añadido mínimo— a la teoría, mientras que ningún elemento constitutivo de la teoría ha sido rebatido.

En los círculos científicos se cree comúnmente que los procesos mentales de que se componen los sueños surgen, sin ningún antecedente psíquico directo, como resultado de la excitación irregular de varios elementos en el cortex cerebral producida por procesos fisiológicos que ocurren durante el sueño. Se sostiene que esto da razón de la naturaleza confusa y ambigua del producto mental, y cualquier conexión y orden aparentemente lógicos, que con frecuencia tienen lugar hasta cierto punto en los sueños, son explicados por la suposición de que los procesos mentales en cuestión están representados en elementos corticales que guardan entre sí una estrecha relación anatómica o fisiológica, y así son simultáneamente activados por los estímulos periféricos. Por tanto, cualquier problema como el del origen psíquico de los procesos mentales, y todavía más el del *significado* del sueño como un todo, es, por la naturaleza de las cosas, excluido como inexistente, y cualquier investigación que se oriente en este sentido es condenada por deleitarse en anticuadas supersticiones relativas a la «lectura de sueños», indigna de gente educada. A esta actitud le opone Freud, como todo psicólogo consistente debe hacerlo, un enérgico rechazo. Sostiene que los procesos del sueño, al igual que los demás procesos mentales, tienen su historia psíquica, y que, a pesar de sus peculiares atributos, tienen un lugar legítimo y comprensible en la secuencia de la vida mental, y que sus orígenes han de ser rastreados psicológicamente con tanta certidumbre y precisión como los de cualesquiera otros procesos mentales. La posibilidad misma de ello es puesta en duda a veces, alegándose que el material a investigar es por naturaleza muy incierto e indefinido. No solamente no tiene uno la menor garantía de que el sueño ha sido observado, recordado y relatado con precisión, sino que, en la mayoría de los casos, uno puede estar bastante seguro de que lo que ha ocurrido realmente es justo lo contrario —a saber, que unas partes del sueño son olvidadas por completo, otras son falseadas en la memoria, etc.—, con el resultado de que el material que se ofrece a investigación es sólo una copia parcial y distorsionada del original. Con todo, aparte del hecho de que al menos algunos sueños son perfectamente claros y recordados con precisión, uno tiene que aceptar empíricamente este rasgo de indefinición y estudiarlo como cualquier otro; la explicación que de ello ofrece Freud será mencionada de inmediato.

Desde un punto de vista, los sueños pueden ser agrupados en las tres categorías siguientes. En primer lugar, cabe distinguir aquellos que son enteramente sensibles e inteligibles; tales son, en especial, los sueños de los niños. La ocurrencia misma de tales sueños, en los cuales los procesos mentales se parecen totalmente a los de la vida de vigilia, aun cuando jamás son confundidos con ellos, constituye en sí misma un argumento de peso contra el punto de vista de que los sueños son resultado de la actividad aislada de grupos singulares de células del cerebro. En segundo lugar, hay sueños que están conectados y tienen un significado evidente, pero un significado cuyo contenido es curioso y sorprendente, por lo que no podemos ajustarlos con el resto de nuestra vida de vigilia. Una persona sueña, por ejemplo, que su hermano ha sido mortalmente corneado por un toro; no puede dar razón de qué le haya sobrevenido tan curiosa idea, ni puede a primera vista relacionarla con ningún pensamiento de vigilia. En tercer lugar, está el tipo más frecuente de sueño, donde los procesos mentales parecen inconexos, confusos y sin sentido. Estos dos últimos tipos de sueños tienen una cualidad especial de extrañeza e irrealidad; son extraños a las demás experiencias mentales del sujeto y no pueden ser insertados en ningún lugar dentro de un pensamiento de vigilia. Es como si el sujeto hubiera vivido en un diferente ámbito de ·experiencia, en otro lugar o en otro mundo que no tiene, aparentemente, conexión alguna con el mundo al que está habituado. Ahora bien, Freud sostiene que este sentido de extrañeza es una ilusión debida a causas muy definidas, y que los procesos mentales que van a formar los sueños están realmente en continuidad directa con los de la vida de vigilia.

Al rastrear los antecedentes de los procesos del sueño, Freud hace uso, como se ha dicho, del método psicoanalítico, que consiste esencialmente en la recolección y ordenación de las asociaciones *libres* que se le ocurren al sujeto cuando atiende a cualquier tema dado y suprime el control selectivo sobre los pensamientos que van aflorando, control que es ejercido instintivamente por la mente consciente. Si este método se aplica a cualquier parte componente de un sueño, por carente de sentido que pueda parecer a una consideración superficial, se localizan procesos mentales de una alta significación personal para el sujeto. Los procesos mentales así localizados son denominados por Freud «pensamientos del sueño», constituyen el «contenido latente» del sueño en contraposición con el «contenido manifiesto», que es el sueño tal como es relatado por el sujeto. Es esencial saber distinguir estos dos grupos de procesos mentales, porque en la apreciación de la diferencia que hay entre ellos reside la entera explicación de los desconcertantes enigmas de los sueños.

El contenido latente, o pensamiento del sueño, es una parte lógica e integral de la vida mental del sujeto, y no contiene ninguna de las absurdas incongruencias y otros rasgos peculiares que caracterizan al contenido manifiesto de la mayoría de los sueños. Este contenido manifiesto va a ser considerado como una expresión alegórica de los subyacentes pensamientos del sueño, o contenido latente. La distorsión de los pensamientos del sueño dentro del sueño mismo tiene lugar de acuerdo con ciertas leyes psicológicas bien determinadas, y por razones muy precisas. El núcleo de la teoría de Freud, y la parte más original de su contribución a esta materia, reside en haber adjudicado la causa de esta distorsión principalmente a una «censura» que interpone una obstrucción a que pasen a ser conscientes los procesos psíquicos inconscientes. Llegó a esta concepción a partir del análisis de varias manifestaciones psíquicas anormales, síntomas psiconeuróticos, en los cuales halló un plan de construcción totalmente análogo al de los sueños. Cabe señalar a este respecto que, enteramente aparte de cualesquiera opiniones acerca de la causa de la distorsión, y de la naturaleza y funciones de los pensamientos del sueño y otros problemas, el hecho mismo de la distorsión es cierto y no puede ser puesto en duda por nadie que observe con cuidado unos pocos sueños. Que la visión, por ejemplo, de una habitación extraña en un sueño es una presentación distorsionada de varias habitaciones que han sido vistas realmente, de cada una de las cuales se han abstraído para después fusionarlos varios rasgos individuales, resultando de este modo presente una habitación nueva y por lo tanto extraña, es un tipo de observación que puede ser fácilmente verificado. Antes de considerar por tanto la naturaleza del contenido latente estará bien describir brevemente los mecanismos de distorsión por medio de los cuales resulta transformado en el contenido manifiesto.

Un sueño no es, como parece ser, una mezcla confusa y fortuita de fenómenos mentales, sino una expresión distorsionada y disfrazada de procesos psíquicos de alta relevancia que tienen un significado muy definido, aun cuando para apreciar este significado es necesario primero traducir el contenido manifiesto del sueño en su contenido latente, tal y como una escritura jeroglífica arroja su significado sólo después de haber sido interpretada. Los mecanismos por medio de los cuales el contenido manifiesto ha sido formado a partir de los pensamientos subyacentes del sueño pueden ser agrupados bajo cuatro epígrafes.

El primero de ellos es denominado *Condensación (Verdichtung)*. Todo elemento del contenido manifiesto representa diversos pensamientos del sueño; está, como dice Freud, «sobre-determinado» *(überdeterminiert)*. Así, el material obtenido por análisis de un sueño es harto más rico y extenso que el contenido manifiesto, y puede exceder a éste en una proporción de diez o veinte veces. De todos los mecanismos es el más fácil de observar, y a él se debe principalmente el sentido de extrañeza que nos ofrecen los sueños, porque es un proceso con el cual nuestro pensamiento de vigilia no está familiarizado. La representación, en el contenido manifiesto, del extenso material que encierra el contenido latente es producida por una verdadera condensación, raramente por la mera omisión de parte de dicho contenido latente. La condensación se efectúa de diversos modos. Una figura en un sueño puede estar constituida por la fusión de rasgos pertenecientes a más de una persona real, y recibe entonces el nombre de una «persona compuesta» *(Sammelperson)*. Esto puede ocurrir, o bien por la fusión de algunos rasgos pertenecientes a una persona con otros pertenecientes a otra, o haciendo resaltar los rasgos comunes a dos personas postergando los que no son comunes a ambas; este último proceso produce un resultado análogo a la fotografía compuesta de Galton. El mismo proceso ocurre frecuentemente con los nombres: así, Freud menciona un sueño en el cual la persona parecía llamarse Norekdal, palabra que había sido formada a base de los nombres de dos personajes de Ibsen, Nora y Ekdal; yo he visto el nombre Magna formado por la fusión de Maggie y Edna, y son bastante usuales los ejemplos similares. El neologismo así producido guarda estrecha semejanza con los que se encuentran en las psicosis, particularmente en la *dementia praecox,* y al igual que éstos puede referirse tanto a cosas como a personas. Por último, debiera señalarse a este respecto que ciertos elementos del contenido manifiesto son especialmente ricos en asociaciones, como si formaran puntos particulares de junción *(Knotenpunkte);* son, en otras palabras, los elementos «mejor determinados». Están íntimamente relacionados con los elementos más significativos en los pensamientos subyacentes del sueño y también con frecuencia muestran la mayor vividez sensorial en el contenido manifiesto.

La condensación cumple más de una función. *En primer lugar,* es el mecanismo por medio del cual la semejanza, el acuerdo, o la identidad entre dos elementos en el contenido latente es expresada en el contenido manifiesto; los dos elementos resultan simplemente fusionados en uno, formando así una nueva unidad. Si esta fusión ha tenido ya lugar en el contenido latente, el proceso es denominado *Identificación*; si tiene lugar durante la construcción del mismo sueño, el proceso es denominado *Composición (Mischbildung):* el primer proceso concierne principalmente a personas y a lugares, raramente a cosas. En el proceso de identificación, una persona en el sueño entra en situaciones que realmente son propias de alguna otra persona, o se conduce de un modo característico de esta segunda persona. En el proceso de composición, la fusión se revela de otros modos en el contenido manifiesto; así, una persona dada puede aparecer en el sueño, pero ostentando el nombre de otra segunda persona, o la figura en el sueño puede estar compuesta de rasgos tomados unos de la primera y otros de la segunda persona. La existencia de una semejanza entre dos personas o lugares puede así ser expresada en el sueño mediante la apariencia de una persona o lugar compuestos, elaborados del modo que se acaba de mencionar; el rasgo importante que los dos tienen en común, que en este caso es el constituyente esencial del contenido latente, no necesita estar presente en el contenido manifiesto, y de hecho no lo está usualmente. Es claro que mediante estos recursos se efectúa una considerable economía en la presentación, porque una semejanza altamente completa y abstracta puede ser expresada por la simple fusión de las figuras de las personas en cuestión. Así, si dos personas muestran sentimientos de envidia, recelo y malicia hacia el sujeto del sueño, estos sentimientos pueden ser expresados por la aparición en el contenido manifiesto de una figura compuesta de las dos personas. En esta figura compuesta puede haber rasgos comunes a ambas personas, tales como el color del pelo u otras características personales, pero la semejanza esencial en los pensamientos subyacentes del sueño no es, por regla general, evidente en el sueño. La semejanza superficial presentada en el sueño es así, con frecuencia, la cobertura de una semejanza más profunda y significativa, y da la clave de constitutivos importantes de los pensamientos del sueño. El proceso en cuestión puede también representar meramente el deseo de que hubiera una tal semejanza entre las dos personas, y, por tanto, el deseo de que pudieran ser cambiadas en su relación con el sujeto. Cuando, por ejemplo, una mujer casada sueña que está desayunando sola con algún amigo, la interpretación es a menudo una cuestión sencilla. *En segundo lugar,* la condensación, como los otros mecanismos de distorsión, cumple la función de evadir la censura endopsíquica. Este tema se discutirá más adelante, pero es obvio que un deseo reprimido e inaceptable de que dos personas, o lugares, pudieran parecerse entre sí en un respecto importante, o pudieran ser intercambiadas, puede cobrar expresión en el contenido manifiesto de un sueño mediante la presentación de una semejanza irrelevante entre los dos.

Podría suponerse, por la descripción que se acaba de aducir, que el proceso de condensación se realiza solamente en una dirección, y que cada elemento en el contenido manifiesto representa un número de elementos en el contenido latente, del mismo modo que un delegado representa a los miembros de su comunidad. Ello, empero, no es así, porque no sólo todo elemento del contenido manifiesto está conectado con varios elementos del contenido latente, sino que todo elemento de este último está conectado con varios elementos del primero. Por añadidura, con frecuencia existen asociaciones entre los diferentes elementos de la estructura entera del sueño, de modo que, a menudo, éste tiene la apariencia de una enrevesada red, hasta que el análisis completo extrae la ley y el orden del conjunto.

El segundo mecanismo distorsionante es el llamado *Desplazamiento (Verschiebung)*. En la mayoría de los sueños se ha hallado tras el análisis que no existe correspondencia entre la intensidad psíquica de un elemento dado del contenido manifiesto y los elementos asociados del contenido latente. Un elemento que esté en el primer plano del interés en el primero, y que parezca ser el rasgo principal del sueño, puede representar lo menos significativo de los pensamientos subyacentes del sueño; recíprocamente, un aspecto aparentemente inesencial y transitorio en el sueño puede representar el verdadero núcleo de los pensamientos del sueño. De otra parte, el afecto más prominente del sueño, odio, ansiedad, etc., según el caso, acompaña, a menudo, a elementos que representan la parte menos importante de los pensamientos del sueño, mientras que los pensamientos del sueño que están poderosamente invertidos por este afecto pueden ser representados en el contenido manifiesto del sueño por elementos con un tono afectivo débil. Este desplazamiento perturbador es descrito por Freud, utilizando la frase de Nietzsche, como «una transmutación de los valores». Es un fenómeno particularmente frecuente en las psiconeurosis, en las que cabe hallar asociados un vivo interés o un intenso afecto con una idea sin importancia. En ambos casos ha tenido lugar una transposición de afecto, en virtud de la cual una idea altamente significativa es reemplazada por otra previamente indiferente y sin importancia. A menudo, la asociación entre la idea primaria y la secundaria es muy superficial, y formas especialmente comunes de ello son los juegos chistosos con la expresión verbal de las dos ideas, y otros géneros de asociación chocante. Como es bien sabido, Jung ha demostrado [2] que esta asociación superficial es generalmente la cobertura de un vínculo oculto más profundo, de alto valor afectivo. Este mecanismo de desplazamiento es la causa del hecho desconcertante de que la mayoría de los sueños contenga tantas impresiones diferentes, y apenas percibidas, del día anterior; habiendo formado, a causa de su insignificancia, sólo unas pocas asociaciones con procesos mentales anteriores, son aprovechadas en la elaboración del sueño para representar ideas más significativas, cuyo afecto les es transferido. El desplazamiento también explica mucho de la extravagancia de los sue-

[2] *Diagnostische Associationsstudien*, 1906, Bd. i.

ños, especialmente la incongruencia notable entre la intensidad del afecto y el contenido intelectual; una persona puede, en un sueño, aterrorizarse ante un objeto aparentemente indiferente, y estar bastante tranquila ante la presencia de lo que debería ser un peligro alarmante.

Dos formas especiales de desplazamiento deben ser mencionadas por separado, a causa de su frecuencia. Una es la representación de un pensamiento sobre un objeto o una persona en el contenido latente, mediante el recurso de permitir que aparezca tan sólo una parte en el contenido manifiesto; es el proceso conocido como *pars pro toto,* que es una forma de sinécdoque. La otra es la representación por medio de una alusión, un proceso conocido lingüísticamente como metonimia, que precisamente acaba de ser mencionado en relación con la asociación superficial. Hay todavía otras dos formas en que un elemento latente del sueño puede ser transformado en, o reemplazado por, un elemento manifiesto; a saber, la dramatización visual por medio de la regresión, que será considerada luego, y el simbolismo, al cual Freud dedica el capítulo más curioso de la teoría del sueño. El simbolismo es un tema tan especial e importante, que lo he examinado extensamente en otra parte (capítulo 3 de *Papers on Psycho-Analysis*); a este propósito sólo observaré que, por alguna razón todavía desconocida, el simbolismo del sueño difiere de otros simbolismos en ser casi exclusivamente sexual.

La condensación y el desplazamiento son los dos mecanismos principales por medio de los cuales se produce la distorsión durante el paso del contenido latente al manifiesto. La medida en que un sueño dado aparece confuso, excéntrico y sin significado, varía, por regla general, en la medida en que estos dos mecanismos han operado en su formación. Los extractos fragmentarios que siguen, seleccionados de algunos análisis de sueños, ilustrarán los procesos en cuestión: 1. *Estaba en el campo, en Massachusetts, y, sin embargo, parecía estar en el este, no de América, sino de Inglaterra. Arriba, un grupo de personas había esbozado vagamente la palabra Ölve u Ölde* (que puede ser expresada como Olǧe). Este sueño proporciona una ilustración particularmente llamativa de desplazamiento, porque todo elemento de él condujo directamente en el análisis a pensamientos sobre los Países Bajos, aunque ninguna indicación sobre éstos apareciera en el contenido manifiesto. Massachusetts trajo a mi mente su capital, Boston, y el Boston original a Lincolnshire [3]. Eso me recordó a Essex [4], siendo estos dos condados los más bajos (países bajos) de Inglaterra. En Essex vive un amigo mediante el cual he llegado a conocer de cerca a cierto número de personas flamencas. El día anterior al sueño yo había escrito una carta a alguien en Maldon, ciudad de Essex, un nombre cuyo sonido trajo a mi mente a Moll Flanders. Los vestidos de la gente en el sueño estaban tomados de un cierto cuadro de Rembrandt, lo que sacó a colación un número de recuerdos recientes y antiguos. Ölde era una condensación de Alba, un tirano de los Países Bajos, y de Van der Velde, el nombre de un pintor flamenco por cuyas obras siento afición, y también de un amigo mío flamenco: dos días antes había visto en el hospital a un holandés con un nombre muy simi-

---

[3] El que en la elaboración del sueño yo fuera tan presuntuoso como para confundir un Estado americano con un condado inglés es una ilustración de las irresponsables libertades que se toman los procesos mentales implicados en esta producción, y muestra cómo difieren completamente de nuestros pensamientos de vigilia.

[4] Podría añadir que la última parte de la palabra «Massachusetts» no suena muy diferente que «Essex»; también, que el significado de su primera parte, «chu» [que en Boston se pronuncia como si estuviera escrito *chew* («masticar»), se parece al de la otra palabra (*ess* es el tema del verbo «comer» en alemán).

lar. En resumen, cualquiera que fuese el giro que yo quisiera darles, todas las partes del sueño se resistían obstinadamente a ser asociadas con nada que no fuese tópicos holandeses, cuyo ulterior análisis apuntaba resueltamente en una sola dirección.

Asociados, por tanto, con una palabra solamente del contenido manifiesto del sueño, que a primera vista parecía carecer de sentido, hay varios procesos mentales que ocupan un lugar significativo en mi vida de vigilia. Estos, y muchos otros que no puedo mencionar por razones personales, están conectados con el elemento del contenido manifiesto del sueño por medio de asociaciones sobremanera superficiales, principalmente ridículos juegos de palabras de un género del que espero no ser responsable nunca cuando esté despierto. No obstante, cualquiera que esté interesado en la psicología del chiste, o que esté familiarizado con las fantasías inconscientes de los histéricos, o la fuga de ideas que tiene lugar en la manía y otras psicosis, no encontrará extraño que las superficiales asociaciones y los absurdos juegos de palabras tan característicos de esos campos de la actividad mental sean también bastante corrientes en otro campo, a saber, el de la formación del sueño. La cuestión de si las asociaciones que ocurren durante el análisis del sueño son elaboradas sólo entonces, y no toman parte en la formación real del sueño, no será discutida aquí; es una de las objeciones de las que Freud se ocupó a fondo en la *Traumdeutung.*

2. El juego de palabras en estos sueños, que pueden sorprender a los que no estén familiarizados con el análisis del sueño, se aclara más en el ejemplo siguiente: *Un paciente soñó que estaba en un pueblo, en las proximidades de París, que parecía llamarse Marinier. Entró en un café, pero sólo podía recordar de su nombre que contenía una «n» y una «l».* De hecho, había estado planeando recientemente

visitar París, donde encontraría a un amigo particular que vivía allí. El paciente era aficionado a hacer anagramas, y muy dado a jugar con palabras, tanto conscientemente como, incluso más a menudo, inconscientemente, de suerte que no fue difícil adivinar que la palabra inventada «Marinier» junto con las letras *n* y *l* fuesen derivadas de una trasposición de las letras de Armenonville. Esto fue confirmado por su siguiente observación, según la cual en su última visita a París había cenado gratamente con ese mismo amigo en el Pavillon d'Armenonville.

3. Una paciente, una mujer de treinta y siete años, soñó que *estaba sentada en un gran estrado como si fuera a presenciar algún espectáculo. Se aproximaba una banda militar, tocando un alegre aire marcial. Iba a la cabeza de un funeral, el cual parecía ser de un Sr. X; el ataúd reposaba en una cureña tapizada. Ella experimenta un vivo sentimiento de asombro ante el absurdo de armar semejante bullicio por la muerte de tan insignificante persona. Detrás seguían el hermano y una de las hermanas del difunto, y tras ellos otras dos hermanas: iban todos vestidos estrafalariamente de un llamativo gris brillante. El hermano avanzó «como un salvaje», bailando y agitando los brazos; en su espalda había un árbol de yuca con abundantes flores jóvenes.* Este sueño es un buen ejemplo del segundo de los tres tipos antes mencionados, pues es perfectamente claro y, no obstante, imposible, aparentemente, de encajar en la vida mental de vigilia de la paciente. El verdadero significado del sueño, sin embargo, sólo se hizo claro en el análisis. La figura del Sr. X encubría a la de su marido. Ambos hombres habían prometido mucho cuando jóvenes, pero las esperanzas que sus amigos habían puesto en ellos no se habían cumplido; uno había arruinado salud y carrera por su adicción a la morfina; el otro, por su adicción al alcohol. Bajo la gran tensión de la emoción, la pacien-

23

te contó que los hábitos alcohólicos de su esposo habían arruinado por completo sus sentimientos de esposa para con él, y que en sus momentos de embriaguez incluso le inspiraba una intensa aversión física. En el sueño, su deseo reprimido de que él muriera se realiza con la descripción del funeral de una tercera persona cuya carrera se parecía a la de su marido, y que, al igual que éste, tenía un hermano y tres hermanas. Por añadidura, el desprecio casi salvaje que le producía su marido, desprecio surgido de la falta de ambición de éste y de otras circunstancias más íntimas, vino a expresarse en el sueño de su reflexión de cuán absurdo era que alguien celebrase con tanto estrépito la muerte de tal don nadie, y por la alegría mostrada en su funeral, no sólo por todo el mundo (el alegre aire de la banda; su marido, dicho sea de paso, es oficial de voluntarios, mientras que el Sr. X no tiene conexión con el ejército), sino incluso por sus parientes más cercanos (la danza del hermano, las brillantes indumentarias). Es digno de notar que no apareció esposa alguna en el sueño, a pesar de que el Sr. X es casado.

En la vida real el Sr. X, que vive todavía, es un conocido indiferente, pero su hermano había estado prometido en matrimonio con la paciente, y ambos se habían tenido un profundo cariño. Pero los padres de ella maniobraron para provocar una desavenencia entre sí, y por su instigación, en un arranque de ira, la paciente, para su futuro pesar, se casó con su actual marido. El hermano del Sr. X estaba furiosamente celoso de éste, y los vítores de alegría que lanzaba en el sueño no parecen tan incongruentes si los relacionamos con la idea de la muerte del marido de la paciente, en lugar de referirlos a la muerte de su propio hermano. Sus movimientos exuberantes y su «danza de salvaje» le recordaron a la paciente las ceremonias nativas que había contemplado, sobre todo ceremonias nupciales. La yuca (robusto arbusto común en el oeste de los Estados Unidos) demostró ser en el análisis un símbolo fálico, y las flores jóvenes representaban la prole. La paciente lamenta amargamente no haber tenido nunca hijos, circunstancia que atribuye a los vicios de su marido. En el sueño, por tanto, su marido muere sin pesadumbre de nadie, y ella se casa con su amante y tiene muchos hijos.

4. Los dos sueños siguientes ilustran la formación de neologismos: el paciente, una mujer de treinta y nueve años, soñó que *estaba sentada en un escenario con otras cuatro personas, ensayando una obra en la que debían tomar parte; parecía llamarse «La ruina del Kipperling». Su papel llevaba el rótulo de Kipper. Se sentía estúpida y molesta.* Este sentimiento lo había experimentado recientemente varias veces, situada por las circunstancias en una situación de incomodidad y compromiso con relación a un hombre y una mujer, a los cuales quería. Años antes, cuando iba al colegio en Francia, había sufrido mucho, sintiéndose incómoda e inferior al tener que leer en voz alta en clase obras francesas, lengua que pronunciaba imperfectamente. Tres días antes del sueño había estado leyendo un volumen de poemas satíricos de Owen Seaman, cuya comprensión y apreciación, al ser extranjera, le habían resultado de una considerable dificultad. Esto le había afligido, por el alto concepto que sus amigos tenían de los poemas. Su embarazo culminó con la lectura de uno de éstos, en el cual Rudyard Kipling es despreciado y apodado «Kipperling»; ella admiraba mucho los escritos de Kipling y se había sentido necia cuando sus dos amigos le aseguraron que Kipling era crudo y vulgar. Se ofendió por el adjudicado apodo de Kipperling y dijo: «parece mentira darle a un poeta el nombre de un pez estúpido». De la fusión de Kipling y Kipperling, y tal vez influida por el hecho de que el segundo nombre había sido

25

empleado por *Seaman* *, había acuñado para sí en el sueño el título de *Kipper*. *Kipper* ** se utiliza en Londres para referirse a la gente necia *(silly kipper)*.

5. En otro sueño la misma paciente imaginó que se llamaba *Hokerring,* neologismo producido por la fusión de las dos palabras *Smoked herring* **; este proceso puede ser representado así:

$$(SM) \; OKE \; (D)$$
$$H \qquad ERRING$$

(los paréntesis indican las letras omitidas en el neologismo). El término «arenque ahumado» le recordó un hinchador *, palabra bastante vulgar que en su lengua original significa «desnudo», pronunciada como *bloat* **. Esto sacó a la luz recuerdos infantiles de timidez, y con un cierto matiz de necedad, que estaban relacionados con la desnudez.

La construcción del contenido manifiesto a partir del contenido latente es denominado por Freud el *trabajo del sueño (Traumarbeit)*. En éste están implicados otros dos mecanismos importantes, además de los ya mencionados de la condensación y el desplazamiento. El primero de ellos puede ser llamado «dramatización» *(Darstellung)*. Es una observación común el que el contenido manifiesto de la mayoría de los sueños describe una situación o, más bien, una acción; por esto puede decirse que un sueño se parece a una representación teatral. Este hecho ejerce una influencia selectiva sobre los procesos mentales que van a presentarse *(Rücksicht auf Darstellbarkeit),* porque la dramatización, como el arte de la pintura y de la

---

* Marinero *(N. del T.).*
** Arenque ahumado *(N. del T.).*
* *Bloater:* se traduce normalmente como «arenque ahumado» *(N. del T.).*
** Hinchar *(N. del T.).*

escultura, está sujeta necesariamente a limitaciones definidas, y, por tanto, tienen que emplearse expedientes especiales para indicar los procesos mentales que no pueden representarse directamente. Al igual que un pintor tiene que transmitir indirectamente procesos mentales abstractos mediante la adopción de ciertos recursos técnicos, así un dramaturgo tiene que seleccionar y modificar su material para ajustarlo a las restricciones de su arte, como, por ejemplo, cuando una acción que se prolonga durante años tiene que representarse en un par de horas. En un sueño, los procesos mentales están dramatizados de forma que el pasado y el futuro se desarrollan ante nuestros ojos en una acción presente; un viejo deseo, por ejemplo, que se refiere al futuro, se ve realizado en una situación presente.

Es bien conocido, además, que el contenido manifiesto de la mayoría de los sueños es predominantemente, aunque no exclusivamente, de naturaleza visual, y el proceso particular para expresar en un sueño varios pensamientos bajo la forma de imágenes visuales es denominado por Freud «regresión», pretendiendo indicar con esto el movimiento retrógrado de los procesos mentales abstractos hacia sus percepciones primarias. La red de los pensamientos del sueño es resuelta, de esta manera, en su material bruto. Este proceso de regresión es característico de los sueños en contraste con otras construcciones mentales formadas por medio de mecanismos similares, tales como los sueños de vigilia, los síntomas neuróticos, etc., aunque en estos últimos ocurra, a veces, bajo la forma de visiones alucinantes. En su discusión de la naturaleza y función de la regresión, Freud desarrolla algunas importantes consideraciones teóricas en relación con la estructura de la mente, en las cuales, sin embargo, no podemos entrar aquí. Achaca la regresión en los sueños y en las visiones, en parte, a la resistencia de la censura y, en parte, a la atracción por los procesos mentales así representados, ejercida por recuerdos infantiles, los cuales, como se sabe, conservan característicamente su forma visual original. En el caso de los sueños, aunque desde luego no en el caso de las visiones de vigilia, es probable que la regresión esté facilitada además por la cesación, mientras dormimos, del movimiento progresivo de la parte sensorial a la motora.

Bajo el encabezamiento de dramatización puede también ser incluida la representación de diversos procesos intelectuales. Veremos en breve que las operaciones intelectuales (el juicio, etc.), que se encuentran con frecuencia en el contenido manifiesto de los sueños, se originan no en la elaboración del sueño, sino en los pensamientos del sueño subyacentes; ningún trabajo intelectual se realiza en la elaboración del sueño mismo. En los pensamientos del sueño hay, por supuesto, toda clase de procesos intelectuales, juicios, argumentos, condiciones, pruebas, objeciones, etc. Ninguno de ellos, sin embargo, tiene una representación especial en el contenido manifiesto del sueño. Por regla general son totalmente omitidos, representándose en el sueño sólo el contenido material de los pensamientos del sueño, y no las relaciones lógicas de éstos. El «trabajo del sueño», sin embargo, utiliza a veces ciertos recursos especiales para indicar indirectamente estas relaciones lógicas; la extensión en que esto se hace varía mucho en sueños diferentes y en diferentes individuos. Las relaciones lógicas entre los constituyentes de los pensamientos del sueño, como entre los pensamientos de vigilia, son mostradas para el uso de partes de la oración tales como «si», «aunque», «o», «porque», etc., las cuales, como acaba de decirse, no encuentran expresión directa en el contenido manifiesto. Ejemplos de los recursos en cuestión son los siguientes: la concatenación lógica entre dos pensamientos es indicada por la aparición sincrónica de los elementos que los representan en el contenido manifiesto; así, en el tercer sueño relatado antes, la muerte del marido, el segundo matrimonio y los niños subsiguientes, tres pensamientos relacionados lógicamente, están representados por tres grupos de elementos que aparecen sincrónicamente en el contenido manifiesto. La conexión casual entre dos pensamientos del sueño no está generalmente indicada en absoluto. Cuando se indica se hace poniendo un elemento representante seguido del otro. El modo más común de hacer esto es representando una cláusula en un sueño introductorio *(Vortraum)* y la otra en el sueño principal *(Haupttraum)*; no obstante, debe subrayarse que esta división del contenido manifiesto no indica siempre la conexión causal entre los pensamientos del sueño correspondiente. Un recurso menos frecuente consiste en producir una transformación de un elemento en el otro; la transformación debe ser directa, no un simple reemplazamiento, como cuando una escena pasa gradualmente a otra, y no como cuando una escena es simplemente sustituida por otra. Un absurdo evidente en el contenido manifiesto significa la existencia de burla o desprecio en los pensamientos del sueño, como se ilustró en el tercer sueño antes relatado. Una alternativa en los pensamientos del sueño no se expresa en el contenido manifiesto; los elementos representados están reunidos simplemente en la misma conexión. Cuando una alternativa (uno u otro) aparece en el contenido manifiesto, es siempre la traducción de «y» en los pensamientos del sueño; así, en el segundo sueño antes relatado sentí que la tercera letra de la palabra reseñada era o una «v» o una «d» y ambas estaban presentes en el contenido latente.

La oposición y la contradicción entre los pensamientos del sueño pueden estar indicadas de dos modos en el contenido manifiesto. Cuando los pensamientos opuestos pueden ser enlazados con la idea de cambio, entonces los elementos representantes pueden ser fundidos en una unidad, proceso descrito antes bajo el nombre de «identificación». Otros casos de oposición, que caen dentro de la categoría de lo contrario o lo inverso, pueden mostrarse del siguiente modo curioso: dos partes del sueño ya formado que están relacionadas con los pensamientos del sueño en cuestión se invierten. La inversión de los procesos mentales en la elaboración del sueño favorece otras funciones además de la ya mencionada: es, por ejemplo, un método predilecto para incrementar la distorsión; la forma más sencilla de encubrir un proceso mental es reemplazarlo por su anverso. Algunos sujetos parecen emplear este mecanismo distorsionador en forma desmedida y muchos sueños pueden ser interpretados simplemente invirtiéndolos. La inversión puede implicar bien al espacio, bien al tiempo. Un ejemplo de lo primero ocurría en el tercer sueño antes relatado, donde la yuca (falo) estaba adherida dorsalmente en lugar de estarlo ventralmente. Ejemplos de ambos pueden verse en el sueño siguiente de la misma paciente: *Ella estaba en la orilla del mar mirando a un niño pequeño, que parecía ser suyo, nadando. Estuvo así hasta que el agua le cubría, y podía ver solamente su cabeza subiendo y bajando en la superficie. La escena cambió entonces al vestíbulo, lleno de gente, de un hotel. Su marido la abandonó y ella entabló conversación con un desconocido.* La segunda mitad del sueño se reveló en el análisis como representando una huida de su esposo y el inicio de relaciones íntimas con una tercera persona, detrás de la cual estaba claramente indicado el hermano del Sr. X., mencionado en el primer sueño. La primera parte del sueño era una fantasía de parto claramente evidente. En los sueños, como en la mitología, el alumbramiento de un niño *desde* los líquidos uterinos es representado comúnmente, por la distorsión, como la entrada del niño *en* el agua; entre muchos otros, los nacimientos de Adonis, Osiris, Moisés y Baco son ejemplos bien conocidos de esto. El movimiento hacia arriba y abajo de la cabeza en el agua le recordó inmediatamente a la paciente la sensación de movimiento que había experimentado en su único embarazo. El pensamiento del muchacho entrando en el agua provocó un ensueño en el que ella se veía sacándolo del agua, llevándolo a un cuarto, lavándolo y vistiéndolo, e instalándolo en su casa.

La segunda parte del sueño manifiesto representaba, por tanto, pensamientos relativos a la fuga, pertenecientes a la primera mitad del contenido latente subyacente; la primera mitad del sueño se correspondía con la segunda mitad del contenido latente, la fantasía del parto. Además de esta inversión en el orden, se llevaron a cabo inversiones posteriores en cada mitad del sueño. En la primera mitad el niño *entraba* en el agua y entonces su cabeza se movía; en los pensamientos del sueño subyacentes ocurrían primero los movimientos y luego el niño abandonaba el agua (una inversión doble). En la segunda mitad su marido la abandonaba: en los pensamientos del sueño ella abandonaba a su marido.

El último entre los mecanismos de la elaboración del sueño es el denominado «elaboración secundaria» *(Sekundäre Bearbeitung)*. Difiere de los otros tres fundamentalmente en que surge de la actividad, no de los pensamientos subyacentes del sueño, sino de procesos mentales más corrientes. Esta observación será más comprensible cuando consideremos en breve las fuerzas que van a elaborar un sueño. Cuando el sueño es aprehendido en la conciencia, es tratado de la misma forma que cualquier otro contenido perceptivo, esto es, no es aceptado en su estado inalterado, sino asimilado a concepciones preexistentes. De este modo, es remodelado hasta un cierto punto para armonizarlo, en la medida de lo posible, con otros procesos mentales conscientes. En otras palabras, se intenta, por muy infructuoso que resulte, modificarlo hasta hacerlo comprensible *(Rücksicht auf Verständlichkeit)*. Esta elaboración secundaria está estrechamente relacionada con el proceso que he descrito como racionalización (ver cap. 2 de la 3.ª edición de *Papers on Psycho-Analysis*). Como es bien sabido, hay una fuerte tendencia por parte de la mente a desfigurar experiencias extrañas del tal modo que sean asimiladas a lo que ya es inteligible; al oír o ver una frase en una lengua extraña, el sujeto imagina analogías con sus propias palabras conocidas, un proceso de falsificación que con frecuencia es llevado hasta el exceso, conduciendo a curiosas equivocaciones.

A esta elaboración secundaria se debe cualquier grado de orden, sucesión y consistencia que puede encontrarse en un sueño.

En relación con la elaboración secundaria puede mencionarse el proceso parecido descubierto por Silberer y llamado por él «simbolismo de umbral». Este autor ha mostrado que la última parte del contenido manifiesto de un sueño, poco antes de despertar, puede representar la idea de despertarse; ejemplos son: cruzar un umbral, dejar una habitación, empezar un viaje o llegar a un destino, etc. Es, además, posible, aunque no ha sido demostrado todavía, que el mismo proceso ocurra en medio del sueño mismo, acarreando variaciones en la profundidad del reposo, tendencia a interrumpir el sueño, etc.

Repasando ahora el proceso de elaboración del sueño como un todo, tenemos que insistir, antes que nada, en el hecho de que en la formación de un sueño no se lleva a cabo operación intelectual alguna de ningún tipo; la elaboración del sueño consiste únicamente en traducir a otras formas diversos pensamientos del sueño subyacentes que existían con anterioridad. Ningún trabajo creativo se lleva a cabo en el proceso de elaboración del sueño; éste no realiza actos de decisión, cálculo, juicio, comparación, conclusión o cualquier clase de pensamiento. Ni siquiera tiene lugar la elaboración de alguna fantasía en la realización del sueño, aunque una fantasía existente con anterioridad puede ser tomada en conjunto e insertada dentro del sueño, hecho que da la clave para la explicación de sueños sumamente elaborados, y, sin embargo, momentáneos, tal como el famoso de la guillotina relatado a Maury. Cualquier parte de un sueño que parezca indicar una operación intelectual ha sido tomada enteramente del contenido latente subyacente, bien directamente, bien de forma distorsionada; lo mismo vale para las frases habladas que pueden aparecer en un sueño. Incluso algunos de los juicios de vigilia transmitidos a un sueño pertenecen al contenido latente. Repitiendo lo dicho, no hay en la elaboración del sueño nada más que una transformación de los procesos mentales formados con anterioridad.

La propia elaboración del sueño es, así, un proceso más distante de la vida mental de vigilia de lo que el más resuelto detractor de las actividades del sueño pudiera mantener. No es simplemente más descuidada, incorrecta, incompleta, desmemoriada e ilógica que el pensamiento de vigilia, sino algo, cualitativamente, diferente por completo de aquél, por lo que ambos no se pueden comparar. La elaboración del sueño opera con métodos bastante extraños para nuestra vida mental de vigilia; ignora contradicciones obvias, utiliza analogías muy forzadas, y reúne ideas ampliamente distintas por medio de las asociaciones más superficiales, por ejemplo, mediante un juego de palabras tan débil que produce en la menta despierta una aguda sensación de ridículo. Los procesos mentales característicos de los sueños, si ocurrieran en un estado corriente de vigilia, despertarían en el acto una grave sospecha de inteligencia disminuida; como Jung ha señalado [5], son, en realidad, procesos que a menudo no podemos distinguir de los que encontramos en estados avanzados de demencia precoz y otras psicosis.

Junto a los detractores de los sueños hay otros que adoptan la actitud contraria y otorgan a los sueños diversas funciones útiles y valiosas. Como veremos después, Freud sostiene que no hay sino una función de los sueños, a saber, proteger el reposo. Sin embargo, varios miembros de la escuela postpsicoanalítica, principalmente Maeder —y en este país Nicoll—, mantienen que los sueños sirven a funciones tales como la formación de intentos provisionales de solución de diversos problemas perturbadores, o de dilemas. En mi opinión, la falacia de esta conclusión reposa en la confusión entre el contenido latente del sueño y el trabajo del sueño en sí. Ciertamente, en los pensamientos del sueño latentes pueden hallarse los procesos descritos por Maeder, así como otras diversas clases de operaciones intelectuales, pero esto no demuestra en ningún sentido que el sueño en sí sea construido con el propósito de desarrollarlos. El trabajo del sueño no es sino una traducción.

El afecto en los sueños tiene muchos rasgos interesantes. El modo incongruente en que puede estar presente cuando no está justificado por las ideas del sueño, o estar ausente cuando a partir de estas ideas podría haber sido supuesto, ha sido ya observado anteriormente, y está bastante aclarado por el psicoanálisis, que revela que en los pensamientos subyacentes del sueño el afecto está justificado lógicamente y es bastante congruente. La incongruencia aparente se debe únicamente a la distorsión del contenido conceptual, por la cual un afecto dado queda enlazado secundariamente a una idea inapropiada. El tercer sueño mencionado

[5] *Psychologie der Dementia praecox*, 1907.

antes ilustra bien este hecho; la incongruencia con que la muerte del Sr. X era alegremente celebrada por su hermano se explica tan pronto como uno se da cuenta de que la figura del Sr. X en el sueño representaba la de otro hombre en el contenido latente. El afecto que inviste al contenido latente es siempre más intenso que el presente en el contenido manifiesto, de forma que, aunque los pensamientos del sueño fuertemente afectivos pueden producir un sueño de tono indiferente, lo contrario nunca ocurre, es decir, un contenido manifiesto afectivo nunca surge de un contenido latente indiferente. Freud atribuye esta inhibición del afecto en la formación del sueño, en parte, al cese, en el reposo, del movimiento progresivo de la parte sensorial a la motora —considera los procesos afectivos como esencialmente centrífugos— y, en parte, al efecto supresor de la censura, que será considerado más adelante. Otra cuestión importante es que la naturaleza del afecto, tal como aparece en el contenido manifiesto, es la misma que la del contenido latente, aunque, como acaba de decirse, su intensidad es casi siempre menor. La influencia del trabajo del sueño sobre el afecto original es así diferente de la que se realiza sobre el resto de los pensamientos del sueño, en el sentido de que no tiene lugar ninguna distorsión. Como declara Stekel en un artículo reciente [6], «Im Traume ist der Affect das einzing Wahre» [«En los sueños la única cosa verdadera es el afecto»]. El afecto aparece de la misma manera en el contenido latente que en el manifiesto, aunque, a través de los mecanismos de transferencia y desplazamiento, está asociado en el segundo de distinta manera que en el primero. Debe subrayarse, no obstante, que un afecto dado en el contenido manifiesto puede representar su exacto opuesto en el contenido latente, pero en un análisis más ajustado se

---

[6] *Jahrbuch der Psychoanalyse,* Bd. i., S. 485.

descubrirá que los dos opuestos ya estaban presentes en el contenido latente, y ambos eran apropiados para el contexto; como es el caso a menudo en la vida de vigilia, los procesos mentales que contrastan exactamente en los pensamientos del sueño están íntimamente asociados entre sí. En tales casos de inversión del afecto, aunque los dos ocurran en el contenido latente, el que está presente en él contenido manifiesto pertenece casi siempre a un nivel más superficial del inconsciente, de forma que es el afecto invertido el que proporciona el significado subyacente del sueño. Así, un deseo de muerte reprimido puede estar enmascarado por la aflicción en el sueño manifiesto, y el miedo, en éste, es una de las coberturas más comunes del deseo libidinoso reprimido.

Habiendo mencionado alguno de los mecanismos que producen la distorsión del contenido latente en el manifiesto, podemos considerar a continuación el material y las fuentes a partir de los cuales se compone un sueño. Tenemos que distinguir claramente de nuevo entre las fuentes del contenido manifiesto y las de los pensamientos subyacentes del sueño; las últimas serán tratadas aparte enseguida. Tres rasgos peculiares mostrados por la *memoria* en los sueños han impresionado especialmente a la mayoría de los observadores: primero, la preferencia mostrada por las impresiones recientes; en segundo lugar, que las experiencias son seleccionadas de manera diferente que en nuestra memoria de vigilia, de forma que incidentes subordinados y apenas advertidos parecen recordarse mejor que otros esenciales e importantes; y, tercero, la hipermnesia respecto a los incidentes olvidados con anterioridad, especialmente respecto a los de la vida de la primera infancia.

Los dos primeros rasgos pueden considerarse juntos, porque están relacionados íntimamente. En todo sueño, sin excepción, aparecen procesos mentales experimentados por el sujeto en el último intervalo de la vigilia *(Traumtag);* otras experiencias recientes que no han ocurrido realmente en el día que precede al sueño son tratadas exactamente del mismo modo que los recuerdos más antiguos. Por tanto debe haber alguna cualidad especial, que tiene importancia en la formación del sueño, conectada con las experiencias mentales del día anterior. Una atención más ajustada muestra que la experiencia en cuestión puede ser bien físicamente significativa, o bien bastante indiferente; en el segundo caso, sin embargo, está siempre asociada con alguna experiencia subyacente significativa. El instigador del sueño *(Traumerreger)* puede ser: *a)* una experiencia significativa reciente que está representada directamente en el contenido manifiesto; *b)* una experiencia significativa reciente que está representada indirectamente en el contenido manifiesto por la aparición de una experiencia indiferente asociada; *c)* un proceso significativo interno (memoria) que está representado ordinariamente en el contenido manifiesto por la aparición de una experiencia asociada, reciente e indiferente. En cada caso, por tanto, una experiencia reciente (esto es, del día anterior) aparece directamente en el sueño, es, o bien significativa en sí, o, en otro caso, está asociada con otra significativa (reciente o antigua). La selección de acontecimientos de interés subordinado se aplica tan sólo a acontecimientos del día anterior al sueño. Siempre puede mostrarse que los acontecimientos más antiguos, que a primera vista parecen ser intrascendentes, se han hecho psíquicamente significativos *ya* en el día en que ocurrieron, por medio de la transferencia secundaria a ellos del afecto de procesos mentales significativos con los que han conseguido asociarse. El material del que se forma un sueño puede, por tanto, ser psíquicamente significativo o no, y en el segundo caso siempre surge en alguna experiencia del día anterior.

7. Un ejemplo de instigación del mismo día

del sueño, que tiene interés también en relación con la cuestión de la memoria, es el que sigue: soñé que *estaba viajando a Baviera y llegaba a un lugar llamado Peterwardein.* Al despertarme estaba completamente seguro de que nunca había visto tal nombre y consideré que se trataba, probablemente, de un neologismo. Dos días después, estaba leyendo un libro sobre la historia de Turquía cuando tropecé con el nombre del lugar, una antigua fortaleza del sur de Hungría. Como sabía que había estado leyendo el mismo libro la noche anterior a mi sueño, mi interés se despertó, y retrocedí para ver si el nombre había aparecido anteriormente en el libro. Descubrí entonces que en la noche en cuestión yo había pasado rápidamente por una página que contenía algunos nombres de lugares húngaros, de los cuales Peterwardein era uno, por lo que, sin duda, mi ojo debía haber captado el nombre, aunque yo no tenía absolutamente ningún recuerdo de él. Pensé entonces en la ciudad húngara de Grosswardein y, eliminando las sílabas comunes a los dos nombres, vi que el sueño debía haber contenido una alusión a un cierto Peter Gross, al cual encontré en Baviera, y cuyo padre [7] había nacido en Hungría, hecho en el cual yo tenía una razón especial para estar interesado.

La explicación que da Freud de estos hechos es, brevemente, como sigue: el significado de la aparición en el contenido manifiesto de procesos mentales indiferentes es que son empleados por el trabajo del sueño para *representar* procesos subyacentes de gran significación psíquica, tal como, en una batalla, los colores de un regimiento, sin ningún valor intrínseco en sí mismos, representan el honor del ejército. Una analogía más precisa es el suceso, frecuente en las psiconeurosis, de la transposición de un afecto significativo dado a una idea

---

[7] El brillante Otto Gross.

indiferente; por ejemplo, el terror intenso frente a un objeto inofensivo puede surgir como una transposición a la idea asociada secundariamente de este objeto, a un terror que estaba por completo justificado con relación a la idea primaria. En resumen, el proceso es otra forma del mecanismo de desplazamiento antes descrito. Al igual que en la psiconeurosis, así también en el sueño la idea primaria subyacente es de tal naturaleza que es incapaz de llegar a ser consciente *(bewusstseinsunfä hig)*, cuestión que se discutirá más adelante. Freud explica la aparición regular en el sueño de una experiencia reciente, señalando que ésta no ha tenido aún tiempo para formar muchas asociaciones y, por tanto, está más libre para llegar a asociarse con procesos psíquicos inconscientes. La circunstancia tiene interés, como indicativa de que durante el primer sueño después de un suceso mental, e inadvertidamente para nuestra consciencia, se llevan a cabo importantes cambios en nuestra memoria y material conceptual; el consejo familiar de consultar una importante cuestión con la almohada antes de tomar una decisión tiene probablemente una importante base de hecho.

El tercer rasgo, es decir, hipermnesia, principalmente para las experiencias de la vida de la primera infancia, es de cardinal importancia. Los recuerdos tempranos, que el sujeto ha olvidado por completo, pero cuya veracidad puede ser a menudo objetivamente confirmada, ocurren con cierta frecuencia y con una fidelidad asombrosa incluso en el contenido manifiesto. Este hecho en sí mismo debería sugerir la antigüedad ontogenética de los procesos del sueño. En el contenido latente la aparición de tales recuerdos olvidados es mucho más habitual, y Freud sostiene que es probable que el contenido latente de todo sueño esté conectado con antiguos procesos mentales que se remontan, en el tiempo, a la niñez temprana. Puede darse el siguiente ejemplo de esto:

8. Un paciente, un varón de treinta y siete años, soñó que *estaba siendo atacado por un hombre armado de varias armas punzantes; el asaltante era moreno y llevaba un bigote oscuro. El luchó, y en cierto modo venció, produciendo a su oponente una herida en la piel de la mano izquierda. El nombre Charles parecía estar relacionado con el hombre, aunque no de un modo definitivo como si fuese el suyo. El hombre se transformó en un feroz perro, al que el sujeto del sueño pudo vencer desgarrando con fuerza sus mandíbulas hasta partir su cabeza en dos.* Nadie podría haber estado más atónito por el sueño que el paciente mismo, que era una persona singularmente inofensiva. El nombre Charles indujo las siguientes asociaciones libres: algunos conocidos indiferentes que tenían este nombre de pila —un hombre llamado Dr. Charles Stuart, a quien había visto en una reunión de escoceses, en la que había estado presente el día anterior (este hombre, sin embargo, lleva barba—, otro hombre presente en la reunión, cuya apariencia personal tenía muchos rasgos en común con el asaltante del sueño —los reyes Estuardos escoceses Charles I y Charles II—, de nuevo el conocido Charles Stuart —la designación de Cromwell del rey Charles I, «ese Charles Stuart» *—, el médico practicante de la familia, cuyo nombre era Stuart Rankings, y que había muerto cuando el paciente tenía nueve años. Entonces le vino el recuerdo de una escena penosa, anteriormente olvidada, en la que el doctor había extraído rudamente dos dientes del aterrorizado paciente, después de amordazar por la fuerza su boca abierta; antes de que pudiera llevar esto a cabo, el doctor había recibido mordiscos en su mano izquierda. La fecha de este suceso podría situarse, con evidencia extrínseca, en los cinco años del paciente. Por un número de razones que aquí no vienen al caso, se evidenció que los pen-

***

* «Stuart», en inglés, «Estuardo».

samientos del sueño en conjunto se agrupaban en torno a esta experiencia de la niñez. El asaltante en el sueño no era sino el doctor, cuyo tratamiento del paciente fue así, aproximadamente, treinta años después de su muerte, vengado terriblemente en el sueño de aquél [8]. El juego con su nombre, Stuart Rankings (Rank-Kings *), que le facilitó llegar a identificarlo primero con el rey Estuardo Charles, y luego con Charles Stuart, para, finalmente, ser llamado simplemente Charles en el sueño, es interesante. Debería añadirse que el Dr. Charles Stuart antes mencionado es un cirujano dental, que una semana antes había realizado en presencia del paciente una dolorosa extracción dental a la esposa de éste; el día anterior al sueño le había preguntado al paciente sobre la salud de su esposa. La identificación del hombre con el perro en la última parte del sueño estaba sumamente sobredeterminada. El doctor en cuestión era un célebre aficionado a los perros, y le había dado al paciente un bonito perro pastor, por el que había tomado un gran cariño; llevaba una vida muy irregular, y el paciente oía a su padre referirse a él a menudo como «un perro juguetón»; finalmente murió, «como un perro», de una sobredosis accidental de veneno, en presencia de un número de personas cuya ignorancia les impedía prestar la menor asistencia que habría salvado su vida.

La fuente de una parte del material del sueño debe encontrarse en los estímulos somáticos durante el reposo, aunque de ningún modo tan frecuentemente como mantienen muchos autores. Con todo, en ningún caso son la causa entera del

---

[8] La interpretación más profunda del sueño resultará fácil para aquéllos familiarizados con el psicoanálisis, especialmente si añado que el sueño estuvo acompañado de un terror espantoso, y que la primera asociación libre para «mano» fue «cuello».

* *Kings,* reyes *(N. del T.)*

sueño, sino que simplemente son insertados en su estructura del mismo podo preciso que cualquier otro material físico, y sólo cuando cumplen ciertas condiciones. Las afirmaciones exageradas resaltando la importancia de estos estímulos son fácilmente refutables mediante, por ejemplo, las siguientes consideraciones. Un durmiente puede reaccionar a un estímulo somático dado cuando éste es de naturaleza viva, como un dolor fuerte, de varias formas diferentes. En primer lugar, puede ignorarlos completamente, como ocurre a menudo en la enfermedad corporal; en segundo lugar, puede sentirlo durante el reposo, incluso todo el tiempo, sin soñar en absoluto [9]; en tercer lugar, puede ser despertado por él; y, en cuarto lugar, puede entretejerlo en sus sueños. Aun en el último caso

---

[9] En algunos, aunque de ninguna manera en todos, de los denominados «sueños de batalla», que recientemente han sido objeto de mucha controversia, éste puede ser el caso, es decir, que un recuerdo real de una situación terrible se reproduce fielmente durante el sueño. Esto ocurre sólo en casos agudos de neurosis de guerra *, en el que el paciente se esfuerza constantemente en la vida de vigilia en borrar, en la medida en que puede, el recuerdo doloroso, pero que ya no puede hacerlo cuando está cansado y en un estado de baja conciencia; por ejemplo, sueño ligero. En la mayoría de los casos, sin embargo, deben descubrirse dos rasgos más con un examen más atento. En primer lugar, se encontrará que, aunque el sueño es, en su mayor parte, una copia de experiencias reales, aparecen normalmente elementos sobreañadidos que no pertenecen a estas experiencias. Esto significa que se está realizando un intento, aunque infructuoso, para transformar el recuerdo doloroso y perturbador del sueño en algo más inofensivo, es decir, se está construyendo un verdadero sueño. El diagnóstico de la neurosis de guerra es mejor cuando es éste el caso. En segundo lugar, si la ansiedad de los sueños de batalla persiste durante un período largo, cabe sospechar que el efecto traumático de la experiencia está siendo incrementado por la acción de complejos inconscientes con los que el recuerdo doloroso ha quedado asociado. En ambos casos, el sueño cae bajo la fórmula de la teoría de Freud tal como aquí se describe.

* «Shell shock».

entra en el sueño solamente solapadamente, y se puede mostrar que este disfraz depende no sólo de la naturaleza de los estímulos, sino del resto del sueño. El mismo estímulo puede aparecer en diferentes sueños, incluso de la misma persona, bajo formas bastante diferentes, y el análisis del sueño muestra regularmente que la forma adoptada está completamente determinada por el carácter y el motivo del sueño. En resumen, el sueño utiliza el estímulo somático o no según sus necesidades, y sólo cuando éste cumple ciertos requisitos.

Un estímulo somático puede no sólo suministrar material psíquico para ser utilizado en la elaboración del sueño, sino que puede servir ocasionalmente de instigador efectivo del sueño. Estos son los que Freud denomina usualmente «sueños de confort» *(Bequemlichkeitsträume),* en los que el estímulo (en general, doloroso) es transformado en símbolo de algo placentero, y queda así imposibilitado para molestar al soñador. Aun aquí, sin embargo, la presencia de un estímulo somático raramente puede explicar el sueño entero, puesto que, por regla general, el estímulo suscita simplemente una secuencia compleja de pensamiento que ya está presente, y al margen de la cual se construye el sueño; cuando no puede hacer esto, despierta al durmiente. Los ejemplos siguientes aclararán, quizá, el proceso:

9. Un hombre *vio frente a él,* en un sueño, *un altar griego compuesto de una masa sólida de serpientes retorciéndose. Había nueve, que finalmente adquirieron la forma de una pirámide o triángulo.* Se despertó en este punto sufriendo fuertes dolores de cólico en el abdomen, y, al ser médico, surgió de inmediato en su mente la semejanza entre la idea de los movimientos de contracción del intestino y los de las culebras retorciéndose. Es difícil dudar de que en este caso había una relación genética entre el estímulo somático y el sueño, especialmente porque es sabido que la proyección visual de sen-

saciones internas en una región frente a la persona ocurre frecuentemente tanto en los sueños como en la demencia. De acuerdo con el punto de vista psicológico, tenemos aquí una explicación adecuada del sueño. El psicólogo, por otra parte, advierte que hay rasgos en el sueño (el altar, el número nueve, la forma triangular) completamente inexplicados por esta etiología, y está, o debería estar, poco dispuesto a atribuirlos al «azar». Freud diría que el deseo de reposar, que es la causa verdadera de todo sueño (véase más adelante), ha intentado transformar las sensaciones perturbadoras en una imagen más satisfactoria y, así, incorporarlas a una agradable secuencia de pensamiento en el inconsciente para engañar al durmiente y ahorrarle la necesidad de despertarse; en el caso presente el dolor se mostró demasiado insistente para que esto fuera posible, excepto por un rato. Que, sea lo que fuere, algún mecanismo psicológico estaba en marcha, se muestra incluso mediante un leve examen de los rasgos inexplicados en el sueño. La reflexión sobre ellos en seguida le recordó al sujeto que, el día anterior, una señorita le había preguntado por qué el número nueve era tan importante en la mitología griega; él respondió que porque el nueve, al estar compuesto de tres veces tres, poseía en un alto grado las propiedades del número sagrado tres. En este punto se sintió embarazado, no fuera que ella continuara preguntándole por qué el tres era un número sagrado, ya que, por supuesto, no podría hablarle del significado fálico de éste, con su relación al culto religioso en general y al culto a la serpiente en particular, y no tenía una explicación sencilla preparada en su mente. Afortunadamente, o bien su curiosidad estaba satisfecha por la primera respuesta o su atención se desvió por el curso general de la conversación (era en un banquete), por lo que el dilema no surgió. La serie de pensamientos así surgidos y llevados a un brusco fin tenían evidentemente asociaciones muy íntimas, porque el sueño es de tipo narcisista y exhibicionista; en él el sujeto se identifica a sí mismo como el Dios Príapo, que era adorado por sus atributos masculinos (aquí representados por el típico símbolo fálico de la serpiente). El hecho de evitar la precipitación de sentirse satisfecho con la primera explicación superficial que se ofrece a sí mismo mostrará siempre que, como en este caso, los sueños están implicados en asuntos mucho más significativos que el cólico intestinal.

Observé muchos ejemplos bonitos del mismo mecanismo como resultado de los ataques aéreos a Londres, sobre todo aquellos que tenían lugar durante el sueño profundo, bien ya avanzada la noche, bien a primeras horas de la mañana. Alguno de mis pacientes se mostró en extremo ingenioso al convertir al estímulo ruidoso de las señales de alarma y el fuego de las descargas en tranquilizadores sueños, para evitar la fastidiosa necesidad de despertarse, con sus consecuencias desagradables de tener que levantarse en una noche helada y cobijarse del miedo, la ansiedad, etc. Un rasgo típico de tales sueños era que en los primeros escenarios del bombardeo, cuando el fuego estaba más lejos, el estímulo perturbador podía ser transformado bastante airosamente en otras imágenes, y, a medida que se acrecentaba el ruido, la semejanza entre él y las imágenes se hacía más evidente, es decir, el disfraz era cada vez menos perfecto, hasta que el ruido se hacía tan intenso que la persona se despertaba. En este aspecto, se parecen a esos sueños sexuales en los que la primera parte del sueño consiste en un simbolismo bastante disfrazado, cuyo significado se hace cada vez más evidente a medida que el estímulo se hace más insistente, hasta que la persona se despierta con una eyaculación.

10. Una paciente, de cuarenta años, soñó que *estaba comprando los regalos de Navidad en una*

feria. Delante de ella había una caja que contenía, en dos filas, una encima de otra, seis linternas sordas, o lámparas de bolsillo, de las cuales sólo podía verse el cristal frontal. En este momento se escuchó un estruendo y exclamó: «¡Dios mío, eso debe de ser un bombardeo!» Sin embargo, alguien al lado dijo: «Oh, no. ¿No sabe que están tocando tambores para celebrar el fin de la guerra?» (o, en otro caso, *«la victoria»*, la paciente tenía la impresión de ambas frases). *Se alarmó de nuevo por un segundo estruendo, pero fue tranquilizada una vez más. Recordó entonces que había oído algo acerca de los planes para la celebración,* y estaba pensando en los detalles cuando fue despertada por alguien que llamaba a la puerta. En ese momento, el sueño le había disuadido tan satisfactoriamente de cualquier posibilidad de un bombardeo que en ningún momento pensó en ello al levantarse —incluso no oyó al principio el ruido del fuego que se aproximaba—, sino que supuso que la señora cuyas habitaciones estaban abajo había olvidado su llave del rellano y quería entrar (existía una llave común de la puerta para ambos grupos de habitaciones). Estaba firmemente persuadida de esto hasta que abrió la puerta de abajo y se encontró con que había una alarma de bombardeo. Los estruendos en el sueño eran, sin duda, los de los cañones cercanos, y, por tanto, había sido capaz de transformar los sonidos anteriores más distantes en imágenes inofensivas.

Las imágenes en sí eran un compromiso entre pensamientos militares y pensamientos personales más placenteros. El día anterior habían llegado las noticias del victorioso fin de la campaña en el Africa oriental alemana, aunque, por supuesto, no había habido celebración de ello. La caja era una que ella iba a enviar al frente, y que contenía, entre otras cosas, una linterna eléctrica. La aparición de los objetos empacados estaba sumamente sobredeterminada: granadas de munición en sus cajas, las bocas de los cañones (cuando niña las solía ver constantemente, cerca de su casa, a los lados de los viejos buques de guerra con casco de madera), la caja de huevos inalcanzable que Alicia intenta comprar en *Alicia a través del espejo*, las linternas sordas y las linternas mágicas que la fascinaban cuando niña, los revólveres con recámara de seis, todos desempeñaban un papel; en la niñez se excitaba con historias en las que un revólver era disparado repentinamente (más tarde había aprendido a usar uno ella misma para unas representaciones teatrales privadas que tuvieron lugar durante el período feliz de un asunto amoroso que, sin embargo, acabó desafortunadamente). La paciente sufría a la vez de un deseo sexual insatisfecho, y había razones para pensar que el objeto que ella iba a alcanzar en el sueño era un símbolo de falo (de un soldado).

11. Un paciente, varón de treinta y cuatro años, soñó que *un barco con mujeres y niños escapaba bajo fuego de rifles; la escena tenía lugar en la India durante la Insurrección. Lograron escapar, y después estaba ocupado con el problema de cómo publicar las noticias con sus terribles sufrimientos en los periódicos ingleses sin herir demasiado los sentimientos de la población civil. La escena cambió entonces, y él estaba encargado de la tarea de decidir cómo escarmentar mejor a los insurrectos. Algunos serían lanzados desde la boca de los cañones* (como ocurrió históricamente), *y otros deberían ser abatidos por cañones alineados en una plaza de la ciudad. La segunda ejecución estaba en marcha, y él deliberaba si había algún peligro para la población civil por las balas perdidas,* cuando se despertó por el estruendo de las descargas. La alusión a los ultrajes alemanes sobre civiles y mujeres por mar y aire son evidentes, pero se hizo un esfuerzo por parte del sueño, provisionalmente satisfactorio, para convertir tales pensamientos en un relato histórico menos perturbador, con sucesos que tuvie-

ron lugar sesenta años antes y a miles de millas de distancia.

Tras haber respondido, en parte, a la cuestión de *cómo* es construido un sueño, debemos abordar la cuestión más difícil de *por qué* es construido o, dicho con más precisión, los problemas concernientes a las fuerzas que van a elaborar un sueño. Es imposible hacer esto sin referirnos primero a los puntos de vista de Freud sobre la «represión psíquica» *(Verdrängung)* y los procesos mentales inconscientes; estas opiniones en sí mismas requerirían una exposición detallada que no puede darse aquí, por lo que esta parte del ensayo resultará más incompleta que el resto. Freud utiliza el término «consciente» para denotar procesos mentales de los cuales somos conscientes en un momento dado»; «preconsciente» *(vorbewusste),* para denotar procesos mentales de los cuales podemos llegar a ser conscientes espontánea y voluntariamente (por ejemplo, un recuerdo, por el momento fuera de la mente, pero que puede volver fácilmente), e «inconsciente», para denotar procesos mentales que el sujeto no puede hacer presentes en la consciencia espontáneamente, pero que pueden ser reproducidos empleando técnicas especiales (por ejemplo, la hipnosis, el psicoanálisis, etc.). Freud concluye que la fuerza que tiene que ser vencida en el acto de hacer conscientes los procesos mencionados en último lugar es la misma que la que antes había opuesto un obstáculo para que no llegaran a ser conscientes, esto es, los había mantenido reprimidos en el inconsciente. Esta fuerza o resistencia es un mecanismo defensivo que ha ocultado a la consciencia procesos mentales que eran, bien primariamente, bien secundariamente (a través de asociación y transposición), de una naturaleza inaceptable; en otras palabras, estos procesos son inasimilables en la consciencia. Volviendo ahora a la cuestión de los sueños, tenemos que observar, en primer lugar, que Freud encontró empíricamente una relación íntima y legítima entre el grado de confusión e incomprensibilidad presente en un sueño dado y la dificultad que experimentó el paciente al comunicar las asociaciones libres que conducen a los pensamientos del sueño. Concluyó, por tanto, que la distorsión que había ocurrido obviamente en la elaboración del sueño estaba relacionada con la resistencia que impedía a los pensamientos inconscientes del sueño hacerse conscientes; que era, de hecho, un resultado de esta resistencia. Freud habla de la resistencia que mantiene ciertos procesos mentales inconscientes como la «censura endopsíquica» [10]. En el estado de vigilia los procesos inconscientes no pueden llegar a expresarse externamente, excepto bajo ciertas condiciones anormales. En el sueño, sin embargo, la actividad de la censura, como la de todos los otros procesos más conscientes, está disminuida, aunque nunca suprimida del todo. Este hecho permite a los procesos inconscientes (el contenido latente) alcanzar su expresión en forma de sueño, pero, como todavía tienen que luchar con cierto grado de actividad por parte de la censura, pueden lograr expresión sólo de un modo indirecto. La distorsión en el trabajo del sueño es, así, un medio de evadir la censura, del mismo modo que una fraseología velada es un medio para evadir una censura social que no permitiría que una verdad desagradable fuese expresada abiertamente. El sueño es un compromiso entre los pensamientos del sueño, de una parte, y la censura endopsíquica, por otra, y ni siquiera

---

[10] Se han planteado objeciones importantes —por ejemplo, por Bleuler, Rivers y otros— al uso de la palabra «censura» por parte de Freud, pero hasta donde yo puedo ver se refieren más a la palabra que al concepto. No debe imaginarse que Freud entiende por este término algo de la naturaleza de una entidad específica; para él no es ni más ni menos que una expresión conveniente para denotar la suma total de las inhibiciones represivas.

podría surgir si no fuera por la actividad disminuida de la censura durante el reposo.

La distorsión de los pensamientos del sueño por medio de los mecanismos de condensación y desplazamiento no es, en absoluto, la única forma en que se manifiesta la censura, ni es esta distorsión la única forma en que la censura puede ser evitada por los procesos del sueño. En primer lugar, ya hemos señalado antes una de sus manifestaciones bajo el nombre de elaboración secundaria. Este proceso continúa incluso en el estado de vigilia, de forma que el informe de un sueño relatado directamente después de despertar difiere del relatado algún tiempo después. El hecho de este cambio en el recuerdo subsiguiente de un sueño se presenta a veces como una objeción a la interpretación mediante psicoanálisis, pero el cambio está tan rigurosamente determinado y el mecanismo está definido con tanta precisión como el de cualquier otro proceso en la elaboración del sueño. Por ejemplo, si se componen los dos informes se encontrará que el pasaje· alterado corresponde a lo que podría llamarse un «punto débil» en el disfraz de los pensamientos del sueño; el disfraz es reforzado por la elaboración subsiguiente de la censura, pero el hecho del cambio señala la necesidad de distorsión en un lugar dado, un punto de algún valor en el análisis [11]. En lugar de alterar este punto débil con posterioridad, la cen-

---

[11] En otro lugar («Ein klares Beispiel von sekundärer Bearbeitung», *Zentralblatt für Psychoanalyse,* Jahrg. i., S. 135) he narrado un ejemplo de esto en el que la paciente era impulsada inconscientemente, al relatar un sueño que había tenido lugar casi veinte años antes, a alterar un cierto rasgo de él. Ella sabía que lo estaba cambiando, pero no tenía ni idea de por qué lo hacía; el análisis mostró que tenía que ver con un punto débil que, si se hubiera dejado en su forma original, habría relevado, en circunstancias normales, el significado de los pensamientos del sueño. Aunque conscientemente, ella ignoraba por completo la naturaleza de éstos, su intuición había percibido el peligro.

sura puede actuar interponiendo la duda en la mente del sujeto en cuanto a la fiabilidad de su recuerdo acerca de ello; él puede decir: «La persona en el sueño parecía llevar tal objeto, pero no estoy seguro de que no haya imaginado eso reflexionando sobre el sueño.» En estos casos uno puede siempre aceptar con seguridad el punto dudosamente dado, de un modo tan resuelto como el recuerdo más vívido; la duda es tan sólo una de las etapas en el encubrimiento de los pensamientos subyacentes del sueño.

Una forma interesante en que la censura puede actuar es mediante la seguridad que recibe el sujeto durante el sueño de que «es sólo un sueño». La explicación de esto es que la acción de la censura ha comenzado demasiado tarde, después de que el sueño ya se ha formado; los procesos mentales que, como a ciegas, han alcanzado la consciencia son en parte despojados de su significado por el sujeto al tratarlos con ligereza como «sólo un sueño». Freud describe agudamente este pensamiento tardío por parte de la censura como un *esprit d'escalier.*

La última manifestación de la censura es más importante, a saber, la tendencia a olvidar sueños, o parte de ellos; es una extensión del proceso de duda antes mencionado. Freud achaca esta tendencia a olvidar, como algo que se muestra también en muchos actos de olvido de la vida de vigilia (ver cap. 2 de *Paper on Psycho-Analysis*), a la acción represiva de la censura. Como se mencionó antes, la fragmentariedad del sueño recordado, junto con la incertidumbre y falsificación real de él en la memoria, es recomendada frecuentemente como algo que arroja dudas sobre la fiabilidad de cualquier análisis psicológico de los sueños, pero si se adopta una actitud verdaderamente empírica hacia el material asequible, como en cualquier ciencia, se encontrará que estos rasgos son, en cierto sentido, parte de la naturaleza del sueño mismo y han de ser explicados igual que lo son otros rasgos. Debería recordarse siempre que es la misma mente la que produce tanto el sueño como los cambios subsiguientes en él, sean adiciones o falsificaciones.

La explicación de Freud puede a menudo confirmarse experimentalmente. Cuando un paciente informa al médico de que tuvo un sueño la noche anterior pero que no puede recordar nada de él, sucede frecuentemente que la superación de una determinada resistencia durante el tratamiento psicoanalítico elimina la barrera que se opone al recuerdo del sueño, con tal que, por supuesto, la resistencia concierna al mismo tópico en los dos casos; el paciente entonces dice: «Ah, ahora puedo recordar el sueño que tuve.» Similarmente puede, de repente, durante el análisis del sueño, o en cualquier momento posterior al relato del sueño, facilitar un fragmento olvidado anteriormente *(Nachtrag);* este último fragmento se corresponde invariablemente con aquellos pensamientos del sueño que han padecido la más intensa represión y, por tanto, aquéllos de mayor significación. Este suceso es extremadamente frecuente y puede ser ilustrado por los ejemplos siguientes [12]:

12. Un paciente, varón de veintiséis años, soñó que *veía a un hombre que permanecía delante de una valla con una puerta de entrada a su izquierda. Se aproximó al hombre, que lo recibió cordialmente, y entabló «una conversación» con él.* Durante el análisis recordó de pronto que la valla parecía ser la tapia de un espectáculo al cual el hombre iba a entrar para unirse a algunos otros. La importancia de este fragmento añadido será evidente cuando diga que el paciente, que había caído frecuentemente en *paedication,* era un *voyeur* empedernido.

---

[12] Un ejemplo más sorprendente aparece relatado en el cap. 13 de la cuarta edición de *Papers on Psycho-Analysis.*

13. Una paciente, de treinta y seis años, soñó que *estaba entre una multitud de colegialas. Una de ellas dijo: «¿Por qué lleva esa falda tan desaliñada?», y le levantó la falda para mostrar lo raídas que estaban las enaguas.* Durante el análisis, tres días después de relatar el sueño, la paciente recordó por primera vez que las enaguas del sueño parecían ser de un vestido de noche, y el análisis de esto condujo a la evocación de varios recuerdos penosos en los cuales levantar un vestido de noche desempeñaba un papel importante: los dos más importantes los había olvidado durante muchos años.

Como se mencionó antes, la censura puede ser evitada por los pensamientos del sueño de otros modos que el usual de la distorsión. Pueden aparecer en el contenido manifiesto en su forma inalterada, pero su significado puede ser mal entendido cuando recuerda el sueño. Por ejemplo, una persona puede soñar que ve a su hermano muerto, siendo los pensamientos reales del sueño el deseo de que el hermano muera. El sujeto no logra comprender que la imagen se corresponda con un deseo, incluso con uno reprimido, en parte porque la naturaleza de éste es tan horriblemente inverosímil que no se le pasa por el pensamiento, y en parte porque el sueño va acompañado de una emoción, un dolor ansioso, que es en apariencia incongruente con un deseo. Tales sueños son siempre intensamente dolorosos *(Angstträume),* y en cierto sentido puede decirse que el miedo reemplaza aquí a los mecanismos distorsionadores de la condensación y el desplazamiento.

Aunque Freud concede gran importancia a la acción de la censura endopsíquica del sueño en la causa, la transformación del contenido latente del sueño, el contenido manifiesto, no le otorga una importancia exclusiva a este respecto. Reconoce que otros factores también concurren en la tarea de hacer ininteligibles los pensamientos del sueño para la conciencia despierta. Uno de estos factores fue mencionado antes en relación con la regresión, y está claro que el material de ideas que se presenta a la consciencia en la forma regresiva del material bruto de sus imágenes sensoriales no podría ser entendido. Otro factor importante que conduce a la distorsión es el proceso de simbolismo, que parece estar conectado con la misma naturaleza de la mente inconsciente e indudablemente relacionado con su historia ontogenética y filogenética [13].

Tenemos que considerar, finalmente, los problemas más importantes, aquellos relativos al contenido latente o pensamientos del sueño. Lo primero que impresiona de ellos es su gran importancia psíquica. Un sueño nunca procede de pequeñeces, sino sólo de procesos mentales que son de la mayor importancia e interés para el sujeto. Los sueños nunca tratan de trivialidades, aunque muchos de ellos puedan aparentarlo a primera vista. La explicación de por qué incidentes de interés secundario aparecen en el contenido manifiesto ya se ha dado antes. Más que eso, los pensamientos del sueño son procesos del mayor interés *personal* y, por ello, invariablemente egocéntricos. Nunca soñamos sobre cuestiones que conciernen sólo a otros, aunque sean profundas, sino que soñamos sólo acerca de cuestiones que nos conciernen a nosotros mismos. Ya se ha mencionado que los pensamientos subyacentes del sueño son perfectamente lógicos y consistentes, y que el afecto que los acompaña es totalmente congruente con su naturaleza. Freud, por tanto, no sólo está de acuerdo con aquellos autores que menosprecian la cualidad mental de los sueños, manteniendo, como lo hace, que la elaboración del sueño mismo no contiene operación intelectual alguna y que pro-

---

[13] Para una discusión de esto véase el cap. 3 de *Papers on Psycho-Analysis*.

cede por medio de las formas inferiores de la actividad mental, sino que también está de acuerdo con aquellos otros autores que mantienen que los sueños son una continuación lógica de la parte más importante de nuestra vida mental de vigilia. Soñamos por la noche sólo acerca de aquellas cuestiones que más nos han preocupado en el día, aunque, teniendo en cuenta la distorsión que se produce en la elaboración del sueño, este hecho no es evidente. Finalmente, puede añadirse que todos los sueños que ocurren en una noche dada surgen del mismo grupo de pensamientos latentes del sueño, aunque usualmente presentan diferentes aspectos de ellos.

Hay ciertas diferencias entre los sueños de un niño pequeño y los de un adulto. En el niño, en todos los sucesos antes de los cuatro años, ninguna o escasa distorsión puede tener lugar, por lo que el contenido manifiesto suele ser idéntico al contenido latente. En relación con este hecho encontramos que los sueños de los niños son lógicos y coordinados, una observación que es difícil de reconciliar con la opinión comúnmente admitida de que los procesos del sueño surgen de una actividad disociada de las células cerebrales, porque no se pueden encontrar razones de por qué los sueños deberían ser un conglomerado, sin sentido, de funciones mentales desordenadas y menguadas en los adultos, cuando en el niño no son obviamente así. Además, en los niños es fácil reconocer que el sueño representa la realización imaginaria de un deseo insatisfecho; el niño está visitando un circo al que el día anterior se le había prohibido ir, etc. Ahora bien, Freud mantiene que el contenido latente de todo sueño no representa sino el cumplimiento imaginario de un deseo insatisfecho [14]. En el niño es un deseo insatisfecho, pero

---

[14] Parece necesario no dejar de llamar la atención sobre el hecho de que la generalización de Freud acerca de los sueños

puede no haber sufrido represión, lo que quiere decir que no es de una naturaleza tal como para ser inaceptable para la consciencia; en el adulto el deseo no es simplemente uno que no pudo ser satisfecho, sino que es de tal naturaleza como para ser inasimilable por la consciencia, y por eso ha sido reprimido. Ocurre frecuentemente que, aun en el adulto, una realización del deseo aparece en el contenido manifiesto, y todavía más frecuente que una realización del deseo no presente en el contenido manifiesto, pero relevada por el psicoanálisis, se refiere a un deseo del cual el sujeto es bastante consciente; en ambos casos, sin embargo, un análisis completo descubre que estos deseos son simplemente reforzamientos de otros inconscientes, más profundos, de una naturaleza asociada. Ningún deseo, sin embargo, es capaz de

---

como representando realizaciones de deseos se refiere al contenido latente del sueño, a los pensamientos del sueño de los que éste procede, y no al contenido manifiesto, pues constantemente se escucha la objeción irrelevante de que los sueños no parecen tratar siempre sobre deseos, objeción expresada a menudo mediante la pregunta: «¿Cómo puede un sueño terrorífico indicar un deseo, si está ocurriendo algo en él que el soñador no desea en ningún caso que ocurra?». Sólo después del análisis se conoce el contenido latente del sueño, y la teoría de la satisfacción de un deseo sólo se aplica al contenido latente.

Una objeción más seria es proporcionada por la clase de sueños, de la que los denominados «sueños de batalla» son un buen ejemplo, en que la totalidad del sueño no parece consistir sino en una representación de una experiencia real. Freud considera (*Más allá del principio del placer*, 1922) que, en este caso, la función del sueño (la transformación de los pensamientos de tal forma que se preserve el reposo) es incapaz de tratar los pensamientos traumáticos en cuestión, probablemente a causa de que todavía no han sido suficientemente incorporados a la mente. En realidad, podríamos rehusar perfectamente el nombre de «sueño» para estos recuerdos obsesivos que interrumpen el reposo, igual que podría hacerse en el caso de sensaciones dolorosas por enfermedad o pensamientos dolorosos aislados (p. ej., aflicción), que pueden impregnar el reposo sin dar lugar propiamente a un sueño. En tales casos, la función del sueño simplemente fracasa en su acción.

producir un sueño a no ser que sea inconsciente *(bewusstseinsunfähig)* u otro asociado con uno inconsciente parecido.

Se ha alegado algunas veces, por parte de los oponentes de Freud, que su generalización de que todos los sueños representan una realización de un deseo es el resultado de observar unos cuantos sueños de niños, y que sus análisis consisten simplemente en retorcer arbitrariamente el sueño para satisfacer alguna noción *a priori,* hasta que se le puede atribuir un deseo. Esta sugerencia es históricamente falsa, porque Freud llegó al análisis de los sueños de los adultos a partir del análisis no de los sueños de los niños, sino de las psiconeurosis del adulto [15]. Encontró que los síntomas de sus pacientes surgían como un compromiso entre dos deseos opuestos, uno de los cuales era consciente y el otro inconsciente, y que representaban alegóricamente la realización imaginaria de estos dos deseos. Por añadidura, halló que un factor esencial en su producción era un conflicto entre los dos sistemas de deseos de una naturaleza tal que lo inconsciente resultaba impedido a la fuerza de llegar a ser consciente; era inconsciente porque estaba reprimido. Ocurría con frecuencia que el psicoanálisis de los síntomas del paciente conducía directamente a sus sueños, y al someter éstos al análisis, exactamente de la misma forma que cualquier otro material mental, descubrió que su construcción mostraba estrechas semejanzas con la de los síntomas neuróticos [16]. En ambos casos, el ma-

---

[15] Como puede imaginarse fácilmente, algunas de las conclusiones particulares de Freud fueron anticipadas por escritores anteriores, particularmente por artistas. En la *Traumdeutung* trata extensamente la literatura científica sobre el tema. Prescott ha publicado un interesante artículo («Poetry and dreams», *Journal of Abnormal Psychology,* vol. 7, n[os.] 1 y 2) sobre la relación entre la poesía y la producción del sueño, utilizando poesía inglesa como ejemplo.

[16] Estas semejanzas aparecen expuestas e ilustradas en el cap. 11 de *Papers on Psycho-Analysis.*

terial examinado demostró ser una expresión de procesos mentales más profundos; en ambos casos, estos procesos más profundos eran inconscientes y al lograr ser expresados sufrían una distorsión por la censura endopsíquica. El mecanismo por medio del cual se lleva a cabo esta distorsión es muy similar en los dos casos, siendo la principal diferencia que la representación mediante imágenes visuales es mucho más característica de los sueños. En los dos casos, los procesos mentales inconscientes surgen en la primera infancia y constituyen un deseo reprimido, como todos los procesos inconscientes, y el síntoma o sueño representa la satisfacción imaginaria de ese deseo en una forma en que está fundida también la satisfacción del deseo opuesto.

Los sueños difieren de los síntomas psiconeutóricos en que el deseo opuesto es siempre de.la misma clase, a saber, el deseo de dormir. Un sueño es, de esto modo, el guardián del reposo, y su función es satisfacer la actividad de procesos mentales inconscientes que, de otro modo, perturbarían el reposo. El hecho de que a veces un sueño horroroso puede no sólo perturbar el reposo, sino incluso despertar al durmiente, no invalida en ningún modo esta conclusión. En tales casos, la actividad de la censura endopsíquica, que durante el reposo permanece disminuida, es insuficiente para mantener fuera de la conciencia los pensamientos del sueño, o para imponer una distorsión en ellos tal que resulten irreconocibles, por lo que debe recurrirse al aumento de energía que la censura es capaz de ejercer en el estado de vigilia; expresado metafóricamente, el guardián que vela el sueño de la familia es dominado y tiene que despertarla para pedir ayuda.

Freud une a su discusión de los problemas del sueño una penetrante investigación de muchos tópicos relacionados, tales como la naturaleza del inconsciente y la función de la conciencia, que aquí ni siquiera pueden tocarse. Quisiera concluir este imperfecto bosquejo de su teoría de los sueños citando una frase suya: «Die Traumdeutung ist die Via Regia zur Kenntniss des Unbewussten im Seelenleben» («La interpretación de los sueños es la Vía Regia al conocimiento del inconsciente en la vida mental»).

LOS SUEÑOS

LOS SUEÑOS *

I

En tiempos que podemos llamar precientíficos, la explicación de los sueños era para los hombres cosa corriente. Lo que de ellos recordaban al despertar era interpretado como una manifestación benigna u hostil de poderes supraterrenos, demoníacos o divinos. Con el florecimiento de la disciplina intelectual de las ciencias físicas, toda esta significativa mitología se ha transformado en psicología, y actualmente son muy pocos, entre los hombres cultos, los que dudan aún de que los sueños son una *propia función psíquica* del durmiente.

Pero desde el abandono de la hipótesis mitológica han quedado los sueños necesitados de alguna explicación. Las condiciones de su génesis, su relación con la vida psíquica despierta, su dependencia de estímulos percibidos durante el sueño, las muchas singularidades de su contenido que repugnan al pensamiento despierto, la incongruencia entre sus representaciones y los afectos a ellas ligados y, por último, su fugacidad y su repulsa por el pensamiento despierto, que considerándolos como algo extraño a él los mutila o extingue en la memoria, son problemas que desde hace muchos siglos demandan una satisfactoria solución, aún no hallada. El más interesante de todos ellos es el relativo a la significación de los sueños, el cual entraña dos interrogaciones principales. Refiérese la primera a la significación psíquica del acto de

---

* «Über den Traum», el original en alemán. Siendo de 1900, es publicado en 1901.

soñar, al lugar que el sueño ocupa entre los demás procesos anímicos y a su eventual función biológica. La segunda trata de inquirir si los sueños pueden ser *interpretados;* esto es, si cada uno de ellos posee un «sentido», tal como estamos acostumbrados a hallarlos en otros productos psíquicos.

Tres distintas orientaciones se han seguido en el estudio de los sueños. Una de ellas, que ha conservado como un eco de la antigua valoración de este fenómeno, ha sido adoptada por varios filósofos, para los cuales la base de la vida onírica es un estado especial de la actividad psíquica, al que incluso consideran superior al normal. Tal es, por ejemplo, la opinión de Schubert, según el cual el sueño sería la liberación del espíritu del poder de la naturaleza exterior, un desligamiento del alma de las cadenas de la materia. Otros pensadores no van tan lejos, pero mantienen el juicio de que los sueños nacen de estímulos esencialmente anímicos y representan manifestaciones de fuerzas psíquicas (de la fantasía onírica, Scherner, Volket) que durante el día se hallan impedidas de desplegarse libremente. Numerosos observadores conceden también a la vida onírica una capacidad de rendimiento superior a la normal por lo menos en determinados sectores (memoria).

En total oposición a estas hipótesis, coincide la mayoría de los autores médicos en una opinión que apenas atribuye a los sueños el valor de un fenómeno psíquico. Según ella, los sueños son provocados exclusivamente por estímulos físicos o sensoriales, que actúan desde el exterior sobre el durmiente, o surgen casualmente en sus órganos internos. Lo soñado no podrá, por tanto, aspirar a significación ni sentido, siendo comparable a la serie de sonidos que los dedos de un individuo profano en música arrancan al piano al recorrer al azar su teclado. Los sueños deben, pues, considerarse como «un proceso físico inútil siempre y en muchos casos patológico» (Binz), y todas las peculiaridades de la vida onírica se explican por la incoherente labor que órganos aislados o grupos de células del cerebro sumido fuera de ellos en el sueño realizan obedeciendo a estímulos fisiológicos.

Poco influida por este juicio de la ciencia e indiferente al problema de las fuente de los sueños, la opinión popular parece mantenerse en la creencia de que los sueños tienen desde luego un sentido —anuncio del porvenir— que puede ser puesto en claro extrayéndolo de su argumento enigmático y confuso por un procedimiento interpretativo cualquiera. Los más empleados consisten en sustituir por otro el contenido del sueño tal y como el sujeto lo recuerda, ora trozo a trozo, *conforme a una clave prefijada,* ora en su totalidad y por otra totalidad con respecto a la cual constituye el sueño un *símbolo.* Los hombres serios ríen de estos esfuerzos interpretativos. «Los sueños son vana espuma».

II

Para mi gran asombro, descubrí un día que no era la concepción médica del sueño, sino la popular, medio arraigada aún en la superstición, la más cercana a la verdad. Tales conclusiones sobre los sueños fueron el resultado de aplicar a ellos un nuevo método de investigación psicológica que me había prestado excelentes servicios en la solución de las fobias, obsesiones y delirios, y que desde entonces había sido aceptado con el nombre de psicoanálisis por toda una escuela de investigadores. Las múltiples analogías de la vida onírica con los más diversos estados psicopatológicos de la vida despierta han sido acertadamente indicadas por numerosos investigadores médicos. Había, pues, desde un principio grandes esperanzas de que un procedimiento investigativo, cuya eficacia se había comprobado en los productos psicopáticos, pudiera aplicarse también a la explicación de los sueños. Las obsesiones y los delirios son tan extraños a la conciencia normal como los sueños a la conciencia despierta, para la cual permanecen igualmente desconocidos los orígenes respectivos de ambas clases de fenómenos. En las citadas formaciones psicopáticas es un interés práctico el que llevó a investigar su procedencia y su génesis, pues la experiencia había enseñado que el descubrimiento de aquellas rutas mentales ocultas a la conciencia, que ponen en comunicación las ideas morbosas con el restante contenido psíquico, equivale a una solución de los síntomas patológicos, solución que trae consigo el dominio de la hasta entonces irrefrenable idea. Así, pues, el procedimiento de que me serví para la interpretación de los sueños procedía de la psicoterapia.

Este método es fácil de describir, aun cuando para emplearlo con éxito sea necesario conocerlo a fondo y haberlo ejercitado. Cuando se emplea en tercera persona (por ejemplo, en un enfermo con representaciones angustiosas), se demanda al paciente que dirija su atención sobre la idea de referencia; mas no, como ya lo ha hecho tantas veces, para meditar sobre ella, sino para observar claramente y comunicar al médico, *sin excepción alguna, todo aquello que se le ocurra con respecto a ella.* A la afirmación que quizá hace entonces el enfermo de que su atención no logra despertar en él ocurrencia alguna, se opone con la mayor energía la seguridad de que una tal carencia de representaciones es en absoluto imposible. En efecto, no tardan en presentarse numerosas ocurrencias, a las que se ligan otras nuevas, pero que regularmente van acompañadas de un desfavorable juicio del autoobservador que las tacha de insensatas, nimias e impertinentes, y dice que se le han ocurrido casualmente y fuera de toda conexión con el tema tratado. Obsérvese en el acto que tal *crítica* no es sólo lo que ha excluido hasta el momento dichas ocurrencias de toda exteriorización, sino también lo que con anterioridad les impidió hacerse conscientes. Si puede conseguirse que el sujeto renuncie en absoluto a ella y continúe tejiendo las series de ideas que en él surgen mientras prosigue con su atención fija en el tema dado, se obtendrá un material psíquico que se enlazará claramente a la idea morbosa, revelará sus conexiones con otras ideas y permitirá, por último, sustituirla por una nueva que se incluya de una manera inteligible en el acervo ideológico del paciente.

No es esta corta exposición lugar apropiado para examinar detalladamente las hipótesis sobre las que se funda este experimento ni las consecuencias que se deducen de su constante éxito. Tenemos, pues, que limitarnos a consignar el hecho de que la aplicación de este método a cada una de las ideas morbosas nos procura material suficiente para su solución en cuanto dirigimos nuestra atención sobre aquellas asociaciones *involuntarias* que, fuera de este caso, son siempre rechazadas por la crítica como escorias sin valor alguno, que *perturban* nuestra *reflexión.* En la autoaplicación de este procedimiento, el mejor auxilio es escribiendo en el acto las propias ocurrencias, incomprensibles al principio.

Expondré ahora los resultados de emplear este método en la investigación de los sueños. Cualquier sueño podría servirme de ejemplo; mas por diversos motivos escogeré uno propio que parezca falto de todo sentido y cuya brevedad facilite la tarea. Quizá llene estas condiciones lo soñado por mí en la noche pasada. El contenido de este sueño, que fijé por escrito inmediatamente después de despertar, es el siguiente:

Varias personas comiendo juntas. Reunión de invitados o mesa redonda... La señora E. L. se halla sentada junto a mí, y coloca con toda confianza una de sus manos sobre mi rodilla. Yo alejo su mano de

mí, rechazándola. Entonces dice la señora: «¡Ha teni-
do usted siempre tan bellos ojos!...» En este punto
veo vagamente algo como dos ojos dibujados o el
contorno de los cristales de unos lentes...

Esto es todo el sueño, o, por lo menos, todo lo
que de él recuerdo, pareciéndome oscuro y falto
de sentido, pero, sobre todo, extraño. La señora
E. L. es una persona con la que apenas he tenido
relaciones de amistad, y jamás, que yo sepa, he
deseado tenerlas más íntimas. No la he visto hace
largo tiempo y no creo que en los últimos días
hablase yo o me hablasen de ella para nada. El
fenómeno onírico no fue en ese caso acompañado
por afecto ninguno.

El reflexionar sobre este sueño no lo aproxima
en nada a mi inteligencia. Sin propósito determinado y absteniéndome de toda crítica iré, pues,
anotando las ocurrencias que surjan en mi autoob-
servación. Al comenzar a hacerlo observo en seguida que es muy ventajoso dividir el sueño en sus
elementos y buscar las ocurrencias que se enlazan
a cada uno de ellos.

Reunión de invitados o mesa redonda. A ello se
enlaza en el acto el recuerdo de un pequeño
suceso con el que terminó la tarde de ayer. Había
yo abandonado, en unión de un amigo mío, una
poco numerosa reunión. Mi amigo se ofreció a
tomar un coche y conducirme en él a mi casa.
«Prefiero un cabriolé con taxímetro» —dijo—. El
verlo funcionar entretiene mientras se va en el
coche.» Al subir al vehículo y abrir el cochero el
aparato, dejando ver la cifra de 60 céntimos, que
constituye la suma inicial del precio de la carrera,
proseguí yo la broma de mi acompañante diciendo:
«Apenas hemos montado y ya le debemos 60 céntimos. Los coches con taxímetro me recuerdan
siempre la mesa redonda de los hoteles. Le hacen
a uno avaro y egoísta, recordándole de continuo
su deuda. A mí me parece que ésta crece demasiado deprisa, y temo que me vaya a faltar dinero

para pagar. Igualmente, en la mesa redonda no puedo defenderme de la cómica preocupación de que me sirven poco y debo pensar en sacar el mejor provecho posible a mi dinero.» En lejana conexión con esto cité luego los versos: «Nos introducís en la vida — y dejáis que el desdichado llegue a ser deudor» [1].

Una segunda asociación a la idea de *mesa redonda:* Hace pocas semanas me disgustó profundamente la conducta que mi mujer observaba en la mesa redonda de un balneario tirolés no mostrándose todo lo reservada que yo hubiera deseado con respecto a unos vecinos de mesa con los que no quería yo entrar en relación ninguna. Con tal motivo rogué a mi mujer que se ocupase más de mí y menos de aquellos extraños. Esto es equivalente al hecho de que *en la mesa redonda me hubieran atendido poco.* Ahora se me parece también la contraposición existente entre la conducta de mi mujer en aquella mesa redonda y la de la señora E. L. en el sueño *dedicándose por completo a mí.*

Prosigamos. Observo ahora que el sueño es la reproducción de una pequeña escena que se desarrolló en idéntica forma entre mi mujer y yo en la época en que le dirigí secretamente mi proposición de matrimonio. La caricia por debajo de la mesa fue la respuesta a la carta en que yo hacía mi petición. Mas en el sueño quedó sustituida mi mujer por la señora E. L., en absoluto extraña a mí.

Esta señora es hija de un hombre al que he

---

[1] «Ihr führt ins Leben uns hinein, Ihr lasst den Armen schuldig werden»; Goethe: *Wilhelm Meister Lehrfahre,* libro II, capítulo XIII. La justa traducción de estos versos es: «Nos introducís en la vida y dejáis que el desdichado caiga en la culpa. — Luego le abandonáis a su dolor, — pues toda culpa se paga sobre la tierra.» Mas la palabra *schuldig* tiene el doble sentido de «culpable» y «deudor», y este último significado es el que motiva la inclusión de los versos goethianos en el sueño, como lo demuestra el análisis. *(N. del T.)*

debido dinero. No puedo menos de observar aquí una insospechada conexión entre los trozos del contenido del sueño y mis ocurrencias. Siguiendo la cadena de asociaciones que parte de un elemento del contenido del sueño llega uno en seguida a otro elemento del mismo. Mis ocurrencias sobre el sueño presentan conexiones que en aquél no se muestran visibles.

Cuando alguien espera que otro cuide de su provecho sin sacar de ello por su parte ventaja alguna, ¿no se suele, acaso, dirigir a tales ingenuos la pregunta de si esperan que haga uno todo aquello *por sus bellos ojos?* Pues entonces la frase «¡Ha tenido usted siempre tan bellos ojos!» no significa otra cosa que «Usted ha logrado siempre de los demás todo lo que ha querido. Así, todo lo ha *tenido usted de balde.*» Naturalmente, por lo que a mi vida respecta, la verdad ha sido la contraria. Todo lo que los demás han hecho por mí lo he tenido que pagar con creces. Mas ayer debió de hacerme impresión de haber *tenido de balde* el coche en que mi amigo me condujo a casa.

Sin embargo, el amigo en cuya casa nos reunimos ayer sí me ha hecho considerar varias veces en deuda de gratitud con él. Hace poco dejé pasar sin aprovecharla una ocasión de pagarle sus favores. No ha recibido de mí más que un solo regalo: una copa antigua con ojos pintados en derredor. Reciben estas copas el nombre de *occhiale* y era creencia de que *rechazaban el mal de ojo*. Mi amigo es, además, *oculista,* y aquella misma tarde le había preguntado por una paciente a la que había enviado a la consulta para que le graduara la vista y le indicara los *lentes* que debía usar.

Observamos que ya se hallan incluidos casi todos los trozos del contenido del sueño en su nuevo contexto. Mas podría preguntar aún por qué el plato que en el sueño se servía a la mesa eran precisamente *espinacas*. Tal preferencia débese al recuerdo de una escena que se había desarrollado en nuestra mesa familiar poco tiempo antes, y en la que un hijo mío —y aquél del que sí podía decirse con justicia que poseía unos hermosos *ojos*— se negó a probar dicha verdura. También yo, cuando niño, compartí largo tiempo este horror a las *espinacas,* hasta que mucho después se transformó mi gusto y llegaron a ser uno de mis platos favoritos. La mención de este plato establece así una aproximación entre mi niñez y la de mi hijo. «Ya puedes alegrarte de tener qué comer, aunque sean espinacas —había dicho mi mujer al pequeño *gourment*—. Hay muchos niños que se contentarían con ellas.» De este modo se me recuerdan las obligaciones de los padres para con sus hijos, y las palabras de Goethe: «Nos introducís en la vida y dejáis que el desdichado llegue a ser deudor», muestran en esta conexión un nuevo sentido.

Haremos alto aquí para revisar los resultados obtenidos hasta ahora en el análisis del sueño. Siguiendo las asociaciones que se enlazan a cada uno de los elementos del sueño, separado de la totalidad, he llegado hasta una serie de pensamientos y recuerdos en los que tengo que reconocer valiosas manifestaciones de mi vida anímica. Este material, hallado por medio del análisis del sueño, se muestra en íntima relación con el contenido del mismo; pero dicha relación es de tal naturaleza, que del contenido del sueño nunca hubiese podido yo deducir directamente lo hallado. El sueño estaba desprovisto de todo afecto y era incoherente e incomprensible; en cambio, mientras que desarrollo los pensamientos tras de él ocultos gvoy experimentando intensos y fundados movimientos afectivos y los pensamientos mismos van formando, con admirable docilidad, cadenas lógicamente eslabonadas, en las cuales se repiten como centrales determinadas representaciones. Ideas de este género no representadas por sí mismas en el sueño son en nuestro ejemplo la antítesis *egoísta-desinteresado* y los elementos *ser deudor y hacer de balde*. En el tejido cuya trama nos descubre claramente el análisis podría yo ahora separar más los hilos y demostrar que van a unirse todos en un nudo único; pero consideraciones de naturaleza no científica, sino privada, me impiden ,llevar a cabo en público tal labor. Al efectuarla revelaría muchas cosas íntimas que prefiero permanezcan secretas; cosas de que tampoco yo me había dado clara cuenta hasta que el desarrollo de este análisis las ha puesto ante mis ojos y que aun y mí mismo me cuesta trabajo confesarme. ¿Por qué, pues, no he elegido mejor otro sueño cuyo análisis fuera más comunicable y, por tanto, más apropiado para hacer surgir una convicción sobre el sentido y la conexión del material descubierto? La respuesta a esta interrogación es que *todo* sueño con el que emprendiera mi labor investigadora conduciría sin remedio a cosas difícilmente publicables, imponiéndome la necesidad de ser discreto. Tampoco evitaría estas dificultades escogiendo para analizarlo un sueño de otra persona, a menos que las circunstancias permitieran prescindir de todo velo sin daño alguno para el que en mí se confiara.

La teoría que sobre los sueños sugiere en principio todo esto es la de que son una especie de *sustitutivos* de aquellas series de pensamientos tan significativas y revestidas de afecto a las cuales hemos llegado al final de nuestro análisis. Aún no conocemos el proceso que ha hecho surgir el sueño de estos pensamientos, pero ya vemos que es injusto considerarlo como un fenómeno puramente físico, exento de toda importancia psíquica y nacido de la actividad aislada de algunas células cerebrales despertadas del reposo en que continúa sumido el resto del organismo.

Aún he observado dos cosas más: que el contenido del sueño es mucho más breve que aquellos pensamientos cuyo sustitutivo he convenido en declararle y que el análisis ha descubierto como *estímulo provocador del sueño (Traumerreger)* un nimio suceso del día anterior al mismo.

Claro es que una tan amplia conclusión no he podido fijarla con un único análisis. Mas cuando la experiencia me ha demostrado que por la persecución exenta de crítica de las asociaciones de *todo sueño* puede llegar a tal cadena de pensamientos, entre cuyos elementos reaparecen los componentes del sueño y que están correcta y significativamente enlazados entre sí, no hay más remedio que abandonar la escasa esperanza que aún pudiese quedarnos de que las conexiones observadas la primera vez pudieran resultar casuales. Estará, pues, plenamente justificado fijar nuestros nuevos conocimientos sobre esta materia por medio de tecnicismos propios, y así distinguiremos el sueño, tal y como aparece en nuestro recuerdo, del material correspondiente hallado por medio del análisis, y denominaremos al primero *contenido manifiesto del sueño,* y al segundo —por ahora y sin mayor diferenciación—, *contenido latente* del mismo. Nos hallamos entonces ante dos nuevos problemas no formulados hasta este punto: 1.° Cuál es el proceso psíquico que ha transformado el contenido latente en el manifiesto, que es el que por mi recuerdo conozco. 2.° Qué *motivo o motivos* son los que han hecho necesaria esta traducción. El proceso de la conversión del contenido latente en manifiesto lo denominaramos *elaboración del sueño (Traumarbeit),* siendo el *análisis* la labor contraria que ya conocemos y que lleva a cabo la transformación opuesta. Los restantes problemas del sueño referentes a los estímulos que lo provocan, a la procedencia del material anímico, al eventual sentido de lo soñado y a las razones de su olvido las discutiremos no en el contenido manifiesto, sino en el recién descubierto contenido latente. Dada mi opinión de que todas las contradicciones y todos los errores que pululan en la literatura existente sobre el sueño son debidos al desconocimiento de su contenido latente, sólo revelable por el análisis, intentaré en adelante evitar con todo cuidado una posible confusión entre el *sueño manifiesto* y las ideas latentes del sueño.

III

La transformación de las ideas latentes del sueño en el contenido manifiesto merece toda nuestra atención por ser el primer ejemplo conocido de versión de un material psíquico, de una forma expresiva a otra diferente, siéndonos la misma perfectamente comprensible y viéndonos obligados, en cambio, a efectuar una penosa labor y a servirnos de un guía para penetrar en la inteligencia de la segunda, aunque también tengamos que reconocerla como una función de nuestra actividad psíquica. Por la reacción del contenido latente al manifiesto pueden los sueños dividirse en tres categorías. Distinguiremos en primer lugar aquellos que poseen un *sentido* y que al mismo tiempo son *comprensibles;* esto es, susceptibles de ser incluidos sin violencia en nuestra vida psíquica. Tales sueños, breves en general, son muy frecuentes y no despiertan, en su mayoría, nuestra atención por carecer de todo aquello que pudiera causarnos extrañeza o asombro. Su existencia es, además, un poderoso argumento contra la teoría que hace nacer el sueño de la actividad aislada de ciertos grupos de células cerebrales. En ellos falta todo indicio de una actividad psíquica debilitada o fragmentaria y, sin embargo, no oponemos nunca objeción alguna a su carácter de sueños ni los confundimos con productos de la vigilia. Un segundo grupo está formado por aquellos sueños que, aunque presentan coherencia y poseen un claro sentido, nos causan *extrañeza* por no saber cómo incluir dicho sentido en nuestra vida psíquica. Un tal caso es, por ejemplo, cuando soñamos que un querido pariente nuestro ha muerto de la peste, no teniendo nosotros ningún fundamento para esperarlo, temerlo o sospecharlo deberíamos preguntarnos, llenos de asombro, cómo se nos puede haber ocurrido aquello. Al tercer grupo pertenecen, por último, aquellos sueños que carecen de ambas cualidades: sentido y comprensibilidad, y se nos muestran *incoherentes, embrollados y faltos de sentido.* La inmensa mayoría de nuestros sueños presenta estos caracteres negativos que motivan nuestro despreciativo juicio sobre ellos y han servido de base a la teoría médica de la actividad psíquica limitada. Sobre esto, los productos oníricos más largos y complicados sólo raras veces dejan de presentar la más absoluta incoherencia.

La distinción entre contenido manifiesto y contenido latente no tiene desde luego significación más que en los sueños de la segunda y tercera categoría, y especialmente en estos últimos. En ellos es donde surgen aquellos enigmas que no desaparecen hasta que se sustituye el contenido manifiesto por el contenido ideológico latente. Un sueño de esta clase, confuso e incomprensible, fue el que antes sometimos al análisis. Mas, contra lo que esperábamos, tropezamos con motivos que nos vedaron llegar al completo conocimiento de las ideas latentes, y la repetición de idéntica experiencia conduce a la hipótesis de que entre *el carácter incomprensible y confuso del sueño y la dificultad de comunicar las ideas del mismo existe una íntima y regular conexión.* Antes de investigar la naturaleza de la misma nos conviene dirigir nuestro interés a los sueños de la primera categoría, más fácilmente comprensibles, en los que el contenido latente coincide con el manifiesto, no existiendo, por tanto, elaboración.

La investigación de estos sueños es recomendable todavía desde otro punto de vista. Los sueños de los *niños* pertenecen precisamente a este género, poseyendo un claro sentido y no causando extrañeza ninguna, cosa que, dicho sea de paso, constituye un nuevo argumento contra la reducción del sueño a una actividad disociada del cerebro, pues no hay razón alguna para suponer que tal depresión de las funciones psíquicas ha de constituir un carácter de los sueños de los adultos y no, en cambio, de los sueños infantiles. Por otro lado, debemos abrigar las mayores y más justificadas esperanzas de que la aclaración de los fenómenos psíquicos en el niño, en el cual deben de hallarse esencialmente simplificados, demuestre ser una labor preliminar, indispensable para la psicología del adulto.

Expondré, pues, algunos ejemplos de sueños infantiles por mí reunidos. Una niña de diecinueve meses es tenida a dieta durante todo el día, a causa de haber vomitado al levantarse por haberle hecho daño, según declaró la niñera, unas fresas que había comido. En la noche de aquel día de abstinencia se le oye murmurar en sueños su nombre y añadir: «Fresas, frambuesas, bollos, papilla.» Sueña, pues, que está comiendo y hace resaltar en su *menú* precisamente aquello que supone le será negado por algún tiempo. Análogamente sueña con una prohibida golosina un niño de veintidós meses que el día anterior había sido encargado de ofrecer a su tío un cestillo de cerezas, de las cuales, como es natural, sólo le habían dejado probar tres o cuatro. Al despertar exclama, regocijado: «Germán ha comido todas las cerezas.» Una niña de tres años y tres meses había hecho durante el día una travesía por el lago, que debió de parecerle corta, pues rompió en llanto cuando la hicieron desembarcar. A la mañana siguiente relató haber navegado por la noche sobre el lago; esto es, haber continuado el interrumpido paseo. Un niño de cinco años y tres meses no pareció muy satisfecho durante una excursión a pie por las inmediaciones de una montaña conocida con el nombre de la Dachstein; cada vez que aparecía a la vista una nueva montaña preguntaba si aquélla era la Dachstein, y se negó después a andar hasta una cascada que visitaron los que con él iban. Achacóse al cansancio esta conducta del niño, pero su verdadero motivo se reveló cuando a la mañana siguiente contó el sueño que había tenido y que era el de *haber subido a la Dachstein.* Sin duda había esperado que el fin de la excursión fuera el de subir a esta montaña y le disgustó mucho no llegar siquiera a verla. Su sueño le compensó de lo que el día le había negado. Idéntico fue el sueño de una niña de seis años, cuyo padre tuvo que interrumpir su paseo, por lo avanzado de la hora, cuando ya llegaban al fin que se habían propuesto alcanzar. Al regresar, había llamado la atención de la niña un nombre inscrito en un poste indicador, y el padre le había prometido llevarla otro día al punto a que correspondía dicho nombre. A la mañana siguiente, lo primero que la niña dijo a su padre fue que había soñado que iba con él, *tanto al sitio que no habían alcanzado la víspera como a aquel otro al que le había prometido llevarla.*

Lo que de común tienen estos sueños infantiles salta a la vista. Todos ellos realizan deseos estimulados durante el día y no cumplidos. Son *simples y francas realizaciones de deseos.*

Igualmente lo es también el siguiente sueño infantil, no del todo comprensible a primera vista. Una niña que aún no había cumplido cuatro años había sido trasladada del campo a la ciudad, a consecuencia de una afección poliomielítica que padecía, y pasó la noche en casa de una tía suya sin hijos, teniendo que dormir en una cama de persona mayor, que para ella resultaba enorme. A la mañana siguiente contó haber soñado que *la cama en que dormía era demasiado pequeña para ella, tan pequeña que apenas si cabía.* La solución de este sueño como sueño optativo es fácil de hallar, recordando que el «ser grande» es un deseo muy frecuente en los niños. La magnitud del hecho recordó demasiado expresivamente a la infantil ambiciosa su propia pequeñez, haciéndola corregir en su sueño aquella desproporción que le desagradaba y crecer hasta tal punto que la cama resultaba ya pequeña para ella.

Aun en los casos en que el contenido de los sueños infantiles se complica y sutiliza, no se aleja su solución del cumplimiento de un deseo. Un niño de ocho años soñó que iba con Aquiles en el carro de guerra guiado por Diomedes. Al buscar la solución de este sueño pudo demostrarse que días atrás le había interesado mucho la lectura de las leyendas heroicas griegas, con lo cual fue fácil de confirmar que había tomado por modelo a aquellos héroes y lamentaba no vivir en sus tiempos.

De este pequeña colección de sueños infantiles surge claramente un segundo carácter de los mismos: *su conexión con la vida diurna*. Los deseos que en ellos se realizan son restos del día, generalmente de la víspera, y han poseído en el pensamiento despierto una intensa acentuación afectiva. Lo nimio e indiferente, o por lo menos lo que así tiene que ser considerado por el niño, no encuentra cabida en el contenido del sueño.

También en los adultos pueden reunirse numerosos ejemplos de tales sueños de tipo infantil; mas, como ya indicamos, son, en general, de breve contenido. De este modo, responden regularmente muchas personas a un nocturno estímulo de sed, con el sueño de hallarse bebiendo, el cual tiende, por tanto, a hacer desaparecer el estímulo y evitar que el durmiente despierte. En algunos individuos se presentan con frecuencia tales *sueños de comodidad (Bequemlichkeitsträume)* antes de despertar, cuando llega el momento en que tienen necesidad de levantarse. Sueñan entonces que ya se han levantado y están lavándose, o que se hallan ya en el colegio, la oficina, etc.; esto es, en el lugar en que efectivamente debían hallarse. En la noche anterior a un viaje se suele soñar haber llegado ya al punto de destino, y antes de una representación teatral o una reunión que se esperan con interés, el sueño anticipa no raras veces —impaciente— el placer esperado. Otras veces expresa el sueño la realización del deseo de un modo algo más indirecto, y para reconocer en él tal carácter es necesario el establecimiento de una relación y, por tanto, un comienzo de labor interpretativa. Así, cuando un marido me relata que su mujer ha soñado que se le presentaba la menstruación, he de suponer que la esposa piensa en que si dicho periódico fenómeno no se le presenta es que ha quedado embarazada, y entonces el sentido del sueño es el de mostrar realizado el deseo de no hallarse aún encinta. En circunstancias extraordinarias y extremas se hacen especialmente frecuentes tales sueños de carácter infantil. El director de una expedición polar cuenta, por ejemplo, que durante la invernada entre los hielos, y sometidos a una monótona y escasa alimentación, soñaban él y sus compañeros con suculentas comidas, montañas de tabaco y cómoda estancia en sus hogares.

Con no escasa frecuencia resalta en un largo sueño complicado, y en general confuso, un trozo especialmente claro, que contiene una innegable realización de deseos, pero que está ligado con el restante material incomprensible. Cuando se intenta analizar también los sueños, impenetrados en apariencia, de los adultos, se ve con asombro que sólo raras veces son tan sencillos como los infantiles, y que detrás de la realización de deseos deben de esconder aún otro sentido.

Sería una simple y satisfactoria solución del enigma de los sueños el que el análisis nos hiciese posible reducir también los sueños de los adultos, confusos y faltos de sentido, al tipo infantil del cumplimiento de un intenso deseo del día. Mas todas las apariencias son contrarias a esta esperanza. Los sueños presentan, en su mayoría, el más extraño e indiferente material, y nada hay en su contenido que pueda considerarse como la realización de un deseo.

No quiero abandonar los sueños infantiles, que son francas realizaciones de deseos, sin hacer mención de un carácter capital del sueño, ha largo tiempo observado, y que precisamente es en este grupo donde con más claridad se muestra. Cada uno de estos sueños lo podemos sustituir por una frase optativa: «¡Ojalá hubiera durado más tiempo el paseo por el lago!» «Me gustaría estar ya lavado y vestido.» «Si hubiera podido conservar para mí las cerezas, en lugar de dárselas a mi tío.» Pero el sueño muestra algo más que este optativo: muestra el deseo realizado ya, ofrece su realización real y presente, y el material de la representación onírica consiste predominantemente —aunque no con exclusividad— en situaciones e imágenes visuales. También en este grupo existe, pues, una especie de transformación, que puede considerarse como elaboración del sueño. *Una idea en optativa es sustituida por una visión en presente.*

IV

Nos inclinamos a suponer que también en los sueños confusos se ha verificado una tal transmutación, aunque no sepamos todavía si en ellos se trataba asimismo de un optativo. El primero de nuestros ejemplos, cuyo análisis iniciamos, nos hace suponer en dos ocasiones algo semejante. En el análisis aparece el recuerdo de una escena en que mi mujer se dirigió, desatendiéndome, a sus vecinos en la mesa redonda; el sueño contiene la *absoluta antítesis* de este suceso, mostrándome a la persona que en él sustituye a mi mujer, únicamente dedicada a mí. ¿Y a qué deseo puede mejor dar motivo un suceso desagradable que al de que sucediera todo lo contrario, como aparece cumplido en el sueño? En idéntica relación contraria se halla mi amarga reflexión de que nunca he tenido nada de balde, con la frase de la señora en mi sueño: «¡Ha tenido usted siempre tan bellos ojos!» Una parte de las contradicciones entre el contenido manifiesto y el latente podría, pues, reducirse también de este modo a la realización de deseos.

Más visible es todavía otra función de la elaboración onírica, por medio de la cual se forman los sueños incoherentes. Si en un ejemplo cualquiera comparamos el número de los elementos de representación del contenido manifiesto con el de las ideas latentes cuya huella aparece en el sueño y que nos han sido descubiertas por el análisis, no podemos dudar de que la elaboración del sueño ha llevado a cabo una magna comprensión o *condensación (Verdichtung)*, proceso de cuya magnitud no llega uno en principio a darse cuenta exacta, pero que nos va revelando su extrema importancia conforme vamos ahondando en el análisis de los sueños. No se halla entonces un solo elemento del contenido del sueño del cual no partan los hilos de asociación en dos o más direcciones, ni una situación que no esté compuesta de dos o más impresiones o sucesos. Soñé yo un día, por ejemplo, que veía una especie de piscina de natación, en la que los bañistas partían nadando en distintas direcciones, mientras que una figura situada en la orilla se inclinaba hacia otra que se hallaba en el agua, como para ayudarla a salir. Esta situación estaba compuesta del recuerdo de un suceso acaecido en mi pubertad y del de dos cuadros, uno de los cuales había yo contemplado poco tiempo antes del sueño. Tales dos cuadros eran el de la sorpresa en el baño del ciclo «Melusina» de Schwind, y otro de autor italiano, que representaba el Diluvio universal. El pequeño suceso de mi pubertad consistía en haber visto en la escuela de natación cómo el profesor ayudaba a salir del agua a una señora que se había retrasado hasta los comienzos de la hora destinada a los hombres. La situación que aparece en el sueño antes escogido como ejemplo nos conduce al emprender su análisis a una pequeña serie de recuerdos, cada uno de los cuales ha contribuido en algo a la formación del contenido. El primero de ellos es el de la pequeña escena que antes expuse y que tuvo lugar en la época en que pretendí la mano de la que hoy es mi mujer. El apretón de manos que entonces nos dimos a escondidas ha suministrado al sueño el detalle de «por debajo de la mesa». Claro está que en aquella escena no hubo lo de «dirigirse exclusivamente a mí», como luego en el sueño. El análisis me ha mostrado que este elemento es la realización por antítesis del deseo provocado en mí por la conducta de mi mujer en la mesa redonda del balneario. Mas detrás de este reciente recuerdo se esconde una escena muy semejante y de mucha mayor importancia, acaecida durante la época en que mi esposa y yo estábamos ya prometidos y que dio origen a un disgusto entre nosotros. El íntimo gesto de colocar una mano sobre mi rodilla pertenece a otro suceso muy diferente, en el que intervinieron personas distintas. Ese elemento del sueño constituye ahora a su vez el punto de partida de dos series especiales de ideas, y así sucesivamente.

El acervo de ideas latentes que se ha reunido para formar el contenido manifiesto tiene que ser, desde luego, apropiado para tal empleo. Y para ello precisa integrar uno o varios *elementos comunes* a todos los componentes. La elaboración del sueño procede entonces como Francis Galton en la formación de sus fotografías de familia; esto es, oculta los diversos componentes, superponiéndolos, y hace que surja con toda claridad lo que de común hay en ellos, mientras que los detalles contrarios se destruyen recíprocamente. Este proceso constitutivo aclara también en parte la singular vaguedad de muchos elementos del contenido del sueño. Nuestro arte interpretativo basa en estos conocimientos la regla siguiente: allí donde en el análisis se encuentra una *impresión* que puede resolverse en la *elección alternativa de dos elementos* (o el elemento *A* o el elemento *B*), debe sustituirse, para la interpretación, tal alternativa por una agregación (el elemento *A* y el elemento *B*), tomando cada uno de los miembros de la aparente alternativa como punto de partida independiente de una serie de ocurrencias.

En aquellos casos en que las ideas latentes carecen de tales *elementos comunes,* la elaboración del sueño se ocupa en *crearlos* para hacer posible la representación común en el contenido manifiesto. El camino más cómodo para aproximar dos ideas del sueño que no tienen aún nada común consiste en variar la expresión verbal de una de ellas; operación a cuyo éxito coadyuva la otra por una correlativa transformación a otra forma expresiva. Es éste un proceso análogo al que tiene lugar en la composición de aleluyas, en las cuales la rima sustituye muchas veces al elemento común buscado. Una gran parte de la elaboración del sueño consiste en la creación de tales ideas intermedias, a veces muy chistosas, pero con gran frecuencia harto retorcidas y forzadas, que alcanzan desde la representación común en el contenido del sueño hasta las ideas del mismo, de diferente forma y esencia, y motivadas por los estímulos del sueño. También en el análisis de nuestro ejemplo hallamos un tal caso de transformación de una idea encaminada a hacerla coincidir con otra totalmente extraña a ella. Continuando el análisis, tropezamos con la idea de que *yo quisiera también conseguir alguna vez algo de balde;* pero esta forma es inutilizable para el contenido del sueño, y, por tanto, es sustituida por otra: *Quisiera gozar de algo sin que me «costase» nada.* La palabra «costar» *(«kosten» = costar o probar, «Kost» = plato, manjar)* se adapta, con su segundo significado, al ciclo de representaciones de la «mesa redonda», y puede hallar su representación en las *espinacas* servidas en el sueño. Cuando en mi casa se sirve algún plato que mis hijos rechazan, intenta primero su madre hacérselo comer con las palabras: *Aunque no sea más que probarlo (kosten).* Parece extraño que la elaboración del sueño aproveche tan sin titubeos el doble sentido de las palabras, pero el análisis de los sueños nos muestra que se trata de un proceso regular y corriente.

Por la labor de condensación del sueño se explican también determinados componentes del contenido del mismo que le son peculiares y no se hallan en la ideación dispuesta. Son éstos las personas colectivas y mixtas, y los singulares productos híbridos; creaciones análogas a las composiciones zoomórficas de la fantasía de los pueblos orientales. Mas éstas han llegado a concretarse en nuestro pensamiento como unidades sintéticas; al paso que las composiciones oníricas presentan una inagotable riqueza de nuevas formas. Todos conocemos tales productos de nuestros propios sueños, siendo muy diversos los procesos por medio de los que llegan a constituirse. Podemos formar una tal persona compuesta formando rasgos de dos o más diferentes y atribuyéndoselos a una sola, dándole la figura de una y pensando en nuestro sueño en el nombre de la otra, o representándonos exactamente la imagen de un determinado invidivuo, pero colocándolo en una situación de la que otro fue protagonista. En todos estos casos es muy significativa tal síntesis de varias personas en una sola, que las representa a todas en el contenido del sueño, y su sentido es el de un «y» o un «también»; esto es, una equivocación de las personas originales con respecto a una determinada cuestión, que por otra parte puede hallarse indicada asimismo en el sueño. Mas por lo general esta comunidad, existente entre las personas fundidas en una sola, no se descubre sino en el análisis, no hallándose indicada en el contenido del sueño más que por la formación de la persona colectiva.

Igual regla analítica es aplicable a las formaciones mixtas del contenido del sueño, de tan rica composición, y de las que no creo necesario citar ejemplo alguno. Su singularidad desaparece por completo cuando nos decidimos a no colocarlas al lado de los objetos de la percepción despierta, sino que recordamos que representan un rendimiento de la condensación onírica, y hacen resaltar sintéticamente un carácter común de los objetos así combinados; comunidad que también aquí no aparece más que en el análisis. El contenido del sueño nos dice tan sólo que *todas aquellas cosas tienen una X en común.* La descomposición de tales productos mixtos por medio del análisis conduce con frecuencia por el camino más corto al significado del sueño. Así, soñé yo una vez que me hallaba sentado, con uno de mis antiguos profesores universitarios, en un banco, que se movía rápidamente hacia adelante entre otros muchos. Era esto una especie de combinación de un aula con un *trottoir roulant *.* Otra vez soñé hallarme en un vagón del ferrocarril, llevando sobre mis rodillas un objeto de la forma de un sombrero de copa, pero del más transparente cristal. La situación me recordó en el acto el conocido proverbio de que «sombrero en mano puede recorrerse toda la Tierra». El sombrero de cristal recuerda, tras de cortos rodeos, a los *mecheros Auer,* haciéndome ver que mi sueño entrañaba el deseo de hacer un descubrimiento que me hiciese tan rico e independiente como el suyo a mi compatriota el doctor Auer, de Welsbach, y que entonces viajaría mucho, en vez de tener que permanecer en Viena. En mi sueño viajo con mi invento —el sombrero de cristal—; objeto, por cierto, nada corriente aún. La elaboración del sueño gusta preferentemente de representar por medio de un solo producto mixto

* Una calzada móvil instalada en la exposición de París de 1900.

dos ideas contrarias. Así, cuando una mujer se ve en sueños llevando una alta vara florida, como el ángel en los cuadros que representan la Anunciación (inocencia: María es el nombre de la sujeto de este sueño); pero las flores de la vara son grandes, blancas y semejantes a camelias (antítesis de la inocencia: dama de las camelias).

Buena parte de lo que hemos llegado a conocer sobre la condensación del sueño puede resumirse en la fórmula siguiente: cada uno de los elementos del contenido del sueño está *superdeterminado* por el material de las ideas del sueño; tiene su antecedente no en un solo elemento de las ideas del sueño, sino en toda una serie de ellos que no necesitan estar muy próximos unos a otros dentro del contenido latente, pues pueden pertenecer a los más diferentes sectores del tejido ideológico. El elemento del sueño es, en realidad, *la representación, en el contenido manifiesto,* de todo este diverso material. El análisis descubre otra faceta de la relación compuesta entre el contenido y las ideas del sueño. Así como desde cada elemento del sueño conducen conexiones a varias ideas latentes, también generalmente *se halla representada una sola idea por más de un elemento.* Los hilos de asociación no convergen simplemente desde las ideas del sueño al contenido del mismo, sino que se cruzan y entretejen de múltiples maneras en el camino.

Junto a la transformación de una idea en una situación (la «dramatización»), es la condensación el carácter más importante y peculiar de la elaboración del sueño. Mas aún, no hemos descubierto motivo alguno que haga necesaria esta comprensión del contenido.

V

En los sueños complicados y confusos, de los que nos ocupamos ahora, no puede atribuirse por completo a los efectos de la condensación y la dramatización la disparidad que se observa a primera vista entre el contenido del sueño y las ideas del mismo, pues existen de la actuación de un tercer factor testimonios muy dignos de ser tenidos en cuenta.

Una vez conseguido por medio del análisis el conocimiento de las ideas del sueño, lo primero que echamos de ver es que el contenido manifiesto del mismo trate materias totalmente distintas que el latente. Mas, en realidad, esto es tan sólo una apariencia, que se desvanece en cuanto la investigación se hace más penetrante, pues entonces hallamos realizado en las ideas del sueño todo el contenido del mismo, y representadas casi todas las ideas por dicho contenido. Sin embargo, queda siempre alguna disparidad. Aquello que en el sueño se presentaba amplia y precisamente como contenido esencial, tiene que contentarse después del análisis con un papel muy secundario entre las ideas del sueño, y lo que mis sentimientos me hacen ver como lo más importante entre dichas ideas resulta que no se halla representado en el contenido manifiesto, o lo está solamente por una lejana alusión y en la parte más imprecisa del mismo. Este hecho puede describirse en la forma siguiente. *Durante la elaboración del sueño pasa la intensidad psíquica desde las ideas y representaciones, a las que pertenece justificadamente, a otras que, a mi juicio, no tienen derecho alguno a tal acentuación.* Ningún otro proceso contribuye tanto a ocultar el sentido del sueño y a hacer irreconocible la conexión entre el contenido manifiesto y las ideas latentes. Durante este proceso que denominaré *desplazamiento del sueño (Traumverschiebung)* veo, asimismo, transformarse la intensidad psíquica, la importancia y la capacidad de afecto de las ideas en vitalidad material. Lo más claro del contenido del sueño se me aparece a primera vista como lo más importante; pero el análisis nos muestra que un impreciso elemento del sueño constituye con frecuencia el más directo representante de la principal idea latente.

Lo que he denominado *desplazamiento del sueño* hubiera podido calificarlo también de *transmutación de los valores psíquicos*. Mas, para dejar totalmente caracterizado este fenómeno, debo añadir que su actuación varía mucho de intensidad en los diferentes sueños. En algunos de ellos no tiene lugar al menor desplazamiento, y éstos son al mismo tiempo los más llenos de sentido y más comprensibles; por ejemplo, aquellos que hemos reconocido como realizaciones no disfrazadas de deseos. En otros sueños no hay un solo elemento de las ideas latentes que haya conservado su propio valor psíquico, y a veces todo lo esencial de dichas ideas aparece sustituido por elementos secundarios. Entre estos caracteres extremos existe toda una serie de grados intermedios. Cuando más oscuro y confuso es su sueño, más participación debe atribuirse en su formación al factor *desplazamiento*.

En el ejemplo que hemos hecho objeto de nuestro análisis aparece como efecto del desplazamiento el hecho de que su contenido se halla diferentemente *centrado* por las ideas. El contenido del sueño muestra en primer término una situación, en la que parece que mi compañera de mesa me hace una velada declaración amorosa; lo más importante en las ideas del sueño reposa en el deseo de gozar alguna vez un amor desinteresado, que no «cueste nada», y esta idea se oculta detrás de la frase hecha «por mis bellos ojos» y la lejana alusión «espinacas».

Cuando por medio del análisis podemos seguir paso a paso el proceso del desplazamiento, llegamos a adquirir datos seguros sobre dos discutidísimos problemas de los sueños: sus estímulos y su conexión con la vida despierta. Existen sueños que revelan inmediatamente su enlace con los sucesos del día anterior; pero en otros no se descubre la menor huella de un tal enlace. Acudiendo en estos últimos al análisis puede mostrarse que todo sueño, sin excepción alguna, está ligado a una impresión de los últimos días, o quizá más precisamente del último día antes del sueño (día del sueño). Esta impresión, que constituye el estímulo del sueño, puede ser de una tal importancia que no nos maraville el ocuparnos de ella fuera del mismo, y en este caso decimos con razón que nuestro sueño continúa los importantes intereses de la vida despierta. Mas, en general, cuando en el contenido del sueño aparece una relación con una impresión diurna, suele ser ésta tan insignificante, nimia y merecedora de ser olvidada, que ni siquiera podemos recordarla sino con esfuerzo. El mismo contenido del sueño parece entonces ocuparse —aun en los casos en que se muestra coherente y comprensible— con las más ociosas nimiedades, las cuales serían indignas de nuestro interés despierto. A esta preferencia por lo indiferente y fútil en el contenido del sueño obedece en gran parte el desprecio con que miramos los fenómenos oníricos.

El análisis destruye la apariencia en que se funda este juicio despreciativo. Donde el contenido del sueño presenta en primer término una impresión indiferente como estímulo, el análisis revela siempre el suceso importante —justificado como estímulo—, que, sustituido por la impresión indiferente, ha entrado en conexión con sus enlaces asociativos. Asimismo, en aquellos sueños cuyo contenido manifiesto actúa con un material de representaciones desprovisto de importancia e interés, descubre el análisis las numerosas rutas de enlace, por medio de las cuales se une lo indiferente con lo valioso en la estimación psíquica de cada elemento. *Constituye tan sólo un efecto del proceso de desplazamiento el hecho de que en lugar de la impresión justificadamente estimulante o el ma-*

terial de justificado interés sea lo indiferente lo que llegue a hacerse admitir con el contenido del sueño. Y si para la solución de los problemas del estímulo de los mismos con la actividad cotidiana se tienen en cuenta los nuevos conocimientos que hemos adquirido al sustituir el contenido manifiesto por el latente, tendremos que convenir en que *el sueño no actúa nunca con nada que no sea digno de ocupar también nuestro pensamiento despierto, y que las pequeñeces que no llegan a atraer nuestro interés durante el día son también impotentes para perseguirnos en nuestro sueño.*

¿Cuál es el estímulo del sueño en el ejemplo que escogimos para nuestro análisis? El suceso —realmente insignificante— de que un amigo mío me procurase un *gratuito paseo en coche.* La escena de la mesa redonda, en mi sueño, contiene una alusión a este motivo indiferente, pues en mi conversación con mi acompañante había yo establecido un paralelo entre los taxímetros y las comidas en la mesa redonda de los hoteles. Mas también puedo indicar el suceso importante que en mi sueño se deja representar con este otro insignificante: días atrás me había yo desprendido de una cantidad bastante elevada en favor de una persona de mi familia. Entre las ideas latentes está la de que no sería extraño que dicha persona estuviese agradecida en mi beneficio, y que, por tanto, su cariño no fuese *gratuito (kontelos).* La idea de cariño gratuito es precisamente la que ocupa el primer término entre las que forman el contenido latente del sueño. El hecho de que aún no hace mucho tiempo había yo ido varias veces en coche con el pariente objeto de mi liberalidad hace posible que el paseo en coche dado con mi amigo me recuerde mis relaciones con la otra persona. La impresión indiferente, que por tales conexiones se convierte en estímulo del sueño, tiene aún que cumplir otra condición: la de ser *reciente;* esto es, proceder del día del sueño.

No puedo abandonar el tema del desplazamiento sin hacer constar un singular proceso, que tiene lugar en la formación del sueño, y en el que obran conjuntamente la condensación y el desplazamiento. En la primera hemos examinado ya el caso de que dos representaciones de las ideas del sueño que tiene algo de común, en punto de contacto, son situadas en el contenido manifiesto por una representación mixta, en la cual aparece un claro nódulo, que corresponde al elemento común, e imprecisas determinantes accesorias, correspondientes a las peculiaridades de cada una de dichas representaciones. Si a esta condensación se añade un desplazamiento, no se produce una representación mixta, sino que se forma un *producto común intermedio*, que es a los elementos que lo forman lo que en el paralelogramo de las fuerzas son las resultantes a sus componentes. En el contenido de uno de mis sueños se trata, por ejemplo, de una inyección de *propilena*. El análisis me conduce al principio a un suceso diferente, que había actuado como estímulo del sueño, y en el cual se trataba de la *amilena*. Pero al ciclo de ideas del mismo sueño pertenece también el recuerdo de mi primera visita a Munich, en la que los *propileos* atrajeron mi atención. Los resultados siguientes del análisis me hicieron admitir que el desplazamiento de amilena a propilena era debido a la influencia del segundo ciclo de representaciones sobre el primero. *Propilena* es, por decirlo así, la representación intermedia entre *amilena* y *propileos*, y como tal se ha introducido a modo de *transacción* y por una condensación y un desplazamiento simultáneos en el contenido del sueño.

Con mayor fuerza aún que al tratar de la condensación se impone aquí, al examinar el proceso del desplazamiento, la necesidad de hallar un motivo para todos estos misteriosos esfuerzos de la elaboración del sueño.

VI

Si al proceso de desplazamiento se debe principalmente el que no se hallen o no se reconozcan en el contenido del sueño las ideas del mismo —sin que pueda adivinarse el motivo de tal deformación—, otra forma menos intensa de la transformación que sufren las ideas del sueño nos conduce al descubrimiento de una nueva función, más fácilmente comprensible, de la elaboración del mismo. Las primeras ideas latentes que el análisis revela suelen extrañar por su poco corriente apariencia. No parecen presentarse en las tímidas formas expresivas, de las que se sirve preferentemente nuestro pensamiento, sino que se muestran representadas simbólicamente por medio de comparaciones y metáforas, como en un lenguaje poético, rico en imágenes. No es difícil hallar las causas que obligan a adoptar esta forma expresiva a las ideas del sueño. El contenido del mismo se compone casi siempre de situaciones visuales y, por tanto, las ideas del sueño tienen, ante todo, que adoptar una disposición que las haga aptas para esta forma expositiva. Si intentamos sustituir las frases de un artículo político o de un informe forense por una serie de dibujos, comprenderemos fácilmente las transformaciones que la elaboración del sueño se ve obligada a llevar a cabo ante la necesidad de que el material dado pueda ser expuesto en el contenido.

Entre el material psíquico de las ideas latentes se encuentran regularmente recuerdos de sucesos impresionantes, que datan con frecuencia de la más temprana niñez, y han sido percibidos por el sujeto —dado su carácter de sucesos exteriores— como situaciones visuales en su mayor parte. Estos elementos de las ideas latentes ejercen, siempre que le es posible, una influencia determinante sobre la conformación del contenido del sueño, y actúan como núcleo de cristalización sobre el material de las ideas latentes. La situación del sueño no es, con frecuencia, más que una repetición de un tal suceso, modificada y complicada por numerosas intercalaciones. Sólo raras veces nos trae, en cambio, el sueño reproducciones fieles y no mezcladas de escenas reales. Mas el contenido del sueño no consta exclusivamente de situaciones, sino que encierra fragmentos inconexos de cuadros visuales, discursos y hasta trozos de ideas no transformados. Será quizá muy interesante exponer aquí lo más rápidamente posible los medios de representación de que dispone la elaboración del sueño para reproducir en la peculiar forma expresiva del mismo las ideas latentes.

Estas ideas que el análisis nos revela se nos muestran como un complejo psíquico de una complicadísima estructura, cuyos componentes se hallan unos con otros en las más diversas relaciones lógicas, constituyendo el primero y el último término las condiciones, las divagaciones, las aclaraciones y las objeciones. Casi siempre aparece junto a una ruta mental su reflejo contradictorio. No falta a este material ninguno de los caracteres que nos son conocidos por pertenecer a nuestro pensamiento despierto. Si de todo ello ha de nacer un sueño, sufre este material psíquico una comprensión que lo condensa; una fragmentación y un desplazamiento internos, que crean nuevas superficies, y una influencia seleccionadora, ejercida por los componentes utilizables para la formación de la situación. Dada la génesis de este material, debe darse a un tal proceso el nombre de *regresión*. Los lazos lógicos, que hasta ahora habían mantenido unido el material psíquico, se pierden en esta transformación, de la cual surge el contenido del sueño. La elaboración onírica no toma a su cargo más que el contenido objetivo de las ideas latentes. Al análisis incumbe luego restablecer la conexión destruida por la elaboración.

Así, pues, los medios de expresión del sueño

pueden considerarse escasísimos en comparación con los que el idioma nos proporciona para la exteriorización de nuestro pensamiento; mas el sueño no tiene necesariamente que renunciar por completo a la reproducción de las relaciones lógicas entre las ideas latentes. Con mucha frecuencia consigue, por el contrario, sustituirlas por caracteres formales que le son propios.

El sueño reconoce, en primer lugar, la innegable conexión entre todos los elementos de las ideas latentes por el hecho mismo de reunir dicho material para formar una situación. Reproduce la *conexión lógica* como *aproximación en el tiempo y en el espacio,* de un modo análogo al pintor que reúne en un cuadro, que quiere representar el Parnaso, a todos los poetas, los cuales jamás se han hallado juntos en la cima de una montaña, pero no por ello dejan de constituir una comunidad. El sueño emplea en todos sus detalles esta misma forma representativa, y cuando muestra en su contenido dos elementos próximos uno a otro delata con esta aproximación un enlace especialmente estrecho entre los correspondientes elementos latentes. Obsérvase además que todos los sueños de una misma noche revelan en el análisis proceder del mismo ciclo de pensamientos.

La *relación causal* entre las ideas queda unas veces sin representación alguna o es sustituida por la *sucesión* inmediata de dos largos trozos del sueño diferentes. A menudo esta última representación tiene lugar a la inversa, o sea, que el primer trozo del sueño corresponde a la consecuencia, y el final del mismo al antecedente. La *transformación* directa de un objeto en otro parece representar en el sueño la relación de *causa a efecto.*

La *alternativa* (esto o aquello) no es expresada jamás por el sueño, el cual toma en este caso los dos miembros de la misma como igualmente justificados y los incluye en el mismo contexto. Ya indiqué también que cuando en el sueño aparece reproducida una alternativa (esto o aquello), debe traducirse por una agregación (esto y aquello).

Las ideas contradictorias son representadas preferentemente en el sueño por un mismo y único elemento [2]. La *oposición* entre dos ideas, la relación de *inversión* halla en el sueño una notabilísima forma representativa, consistente en que otro trozo del sueño es transformado —simultánea o sucesivamente— en su contrario. Más adelante hallaremos otra forma de expresar la *contradicción*. También la sensación tan frecuente en el sueño, de *no poder moverse libremente,* sirve para representar una contradicción entre impulsos, un *conflicto de la voluntad.*

Una sola de las relaciones lógicas, la de *analogía, comunidad o coincidencia,* es aceptada francamente por el mecanismo de la elaboración del sueño, el cual se sirve de estos casos como punto de apoyo para la condensación, reuniendo en una *nueva unidad* todo aquello que muestra tal coincidencia.

Esta corta serie de fugaces observaciones no agota, naturalmente, la exposición de la plenitud de medios representativos formales que el sueño posee para exponer las relaciones lógicas de las ideas latentes. Los distintos sueños se hallan, respecto a este punto, más sutil o descuidadamente elaborados, se ciñen más o menos al texto dado y hacen un mayor o menor uso de los medios auxiliares de la elaboración. En el último caso resultan oscuros, confusos e incoherentes. Mas cuando el sueño aparece claramente absurdo, encerrando en su contenido un franco contrasentido, es que se ha formado así intencionadamente, y expresa por medio de su aparente negligencia de todas las reglas

---

[2] Nota de 1911: Filólogos muy autorizados afirman que los idiomas humanos más antiguos empleaban la misma palabra para expresar la antítesis (fuerte-débil, dentro-fuera, etc.: «Sentido antitético de las palabras primitivas»).

lógicas un trozo del contenido intelectual de las ideas latentes. El absurdo en el sueño significa *contradicción, injuria* o *burla* en las ideas latentes. Dado que esta explicación nos proporciona la objeción más fuerte contra la teoría que hace surgir al sueño de una actividad psíquica disociada y exenta de crítica, la apoyaremos con la exposición de un ejemplo:

Uno de mis conocidos, el señor M., ha sido atacado en un artículo nada menos que por el propio Goethe. Todos reconocemos que la violencia del ataque es injustificada; pero como es natural, dada la personalidad del atacante, M. ha quedado totalmente hundido, y se lamenta amargamente de la injusticia sufrida ante varias personas, reunidas alrededor de una mesa. Sin embargo, no ha disminuido su veneración por Goethe. Intento aclarar las circunstancias de tiempo, que me parecen inverosímiles. Goethe murió en 1832. Dado que su ataque contra M. tuvo que tener lugar antes de esa fecha, M. debía de ser entonces muy joven. Me parece probable que tuviera unos dieciocho años. Mas no sé con seguridad el año en que nos hallamos actualmente, y de este modo, todo mi cálculo se hunde en las tinieblas. El ataque a M. se halla contenido en el ensayo de Goethe titulado *Naturaleza.*

La falta de sentido de este sueño aparece aún con mayor precisión sabiendo que M. es un hombre de negocios muy apartado de todo interés poético o literario. Mas al penetrar en el análisis puede demostrarse cuánto *método* se oculta detrás de tal falta de sentido. El sueño extrae su material de tres fuentes:

1.ª M., al que conocí en una *comida,* me pidió un día que reconociera a su hermano mayor, que presentaba señales de perturbación mental. En mi diálogo con el enfermo tuvo lugar una penosa escena, en la cual me reveló, sin que yo diese motivo ni ocasión para ello, las faltas de su hermano, aludiendo a su *disipada juventud.* En este reconocimiento hube de preguntar al paciente la *fecha de su nacimiento (año de la muerte en el sueño),* haciéndole verificar diversos cálculos, con objeto de investigar el grado de debilidad de su memoria.

2.ª Una revista médica, en la que figuraba yo como colaborador, había publicado una *abrumadora crítica,* obra de un *joven redactor,* sobre un libro de mi amigo F., de Berlín. Habiendo reprochado yo al autor del artículo su encarnizamiento, me expresó su pesar por haberme disgustado, pero no pudo prometerme poner remedio alguno a lo hecho. A consecuencia de esto rompí mis relaciones con la revista y expresé en la carta en que notificaba mi separación la esperanza de que lo *sucedido no influiría para nada en nuestras relaciones personales.* Esta es la verdadera fuente del sueño. La despreciativa crítica del libro de mi amigo me había causado una profunda impresión, pues a mi juicio contenía su obra un descubrimiento biológico fundamental, que comienza ahora —pasados muchos años— a ser aceptado por sus colegas.

3.ª Una paciente me había contado hacía poco tiempo la historia de la enfermedad de su hermano, el cual había sido atacado de locura frenética, sumiéndose en ella con el grito de *¡Naturaleza, naturaleza!* Los médicos habían opinado que tal exclamación provenía de la lectura del citado ensayo de Goethe, y constituía una indicación del exceso de trabajo que había pesado sobre el enfermo en sus estudios. Por mi parte, había yo observado que me *parecía más plausible* dar a la exclamación *¡Naturaleza!* aquel otro sentido sexual, conocido por todos los hombres, hasta por los de menor cultura. El hecho de que el infeliz paciente se mutilara después los genitales pareció darme la razón. Cuando sufrió el ataque inicial tenía este individuo dieciocho años.

En el contenido del sueño se oculta primeramente detrás del *yo* el amigo mío tan maltratado por la crítica. *Intento aclarar un poco las circunstancias de tiempo.* El libro de mi amigo trata precisamente de las circunstancias *temporales* de la vida y cita repetidamente a Goethe en relación con determinadas opiniones sobre biología.

Mas este *yo* es comparado a un paralítico *: («No sé con seguridad el año en que nos hallamos.») Por tanto, el sueño representa que mi amigo se conduce como un paralítico y flota en el absurdo. Mas los pensamientos del sueño expresan irónicamente: «Es natural. El es un loco, y vosotros sois unos genios, y sabéis mucho más de estas cosas. ¿No será más bien todo lo *contrario?*» Esta *inversión* se halla representada ampliamente en el contenido del sueño: Goethe ha atacado a un hombre, actualmente joven, lo cual es absurdo; al paso que es muy fácil que cualquier joven literato actual critique duramente al gran Goethe.

Podemos casi seguramente afirmar que ningún sueño es producido por sentimientos distintos de los egoístas. El *yo* del sueño no representa tan sólo a mi amigo, sino que también me representa a mí mismo. Yo me identifico con él por el hecho de que la suerte corrida por su descubrimiento me muestra cómo han de ser acogidos quizá los *míos propios.* Cuando yo haga pública mi teoría sobre la significación etiológica de la sexualidad en las perturbaciones psiconeuróticas (véase la alusión al enfermo de dieciocho años): «¡Naturaleza, naturaleza!», hallaré críticas idénticas, y de las que desde ahora me burlo con la misma ironía.

Persiguiendo las ideas latentes encuentro siempre *burla* y *desprecio* como *correlación a los absurdos del sueño.* El hallazgo de un cráneo de oveja en el Lido veneciano inspiró a Goethe la primera idea de la constitución vertebral del cráneo. Mi amigo se jacta de haber desencadenado, siendo

---

* Parálisis general sifilítica. *(Nota del E.)*

estudiante, una protesta contra un anciano profesor, que muy competente en años anteriores (sobre todo en esta parte de la anatomía comparada), había llegado a ser, a causa de su ancianidad, totalmente inepto para continuar dando su clase. La agitación promovida por este caso puso remedio a la equivocación que supone el hecho de no existir en Alemania limitación alguna de edad para el ejercicio de la actividad académica. La *edad no protege contra la tontería.* En el hospital de Viena tuve el honor de prestar mis servicios durante muchos años bajo las órdenes de un director *fosilizado* que, notoriamente chocho hacía varios decenios, seguía ejerciendo un cargo lleno de responsabilidades. Una característica correspondiente al hallazgo del Lido acude a mi pensamiento en este punto. Con referencia a este individuo, compusieron mis jóvenes colegas del hospital una variante de unos chistosos versos, populares por entonces. «Eso no lo ha escrito ningún Goethe ni lo ha compuesto ningún Schiller.»

VII

No hemos terminado aún con el estudio de la elaboración del sueño Nos vemos obligados a incluir en ella, además de la condensación del desplazamiento y de la disposición visual del material psíquico, otra actividad cuya actuación no es reconocible en todos los sueños. No trataré aquí en detalle esta parte de la elaboración del sueño y me limitaré a observar que como más rápidamente podemos formarnos una idea de su esencia es aceptando por lo pronto la hipótesis, probablemente inexacta, *de que actúa a posteriori sobre el contenido del sueño ya formado.* Su función es entonces la de ordenar los componentes del sueño de manera que se reúnan aproximadamente para formar una totalidad, una composición onírica. El sueño recibe así una especie de fachada, que de todos modos nos cubre por completo el contenido, y sufre al mismo tiempo una primera interpretación provisional que es apoyada por intercalaciones y ligeras variantes. Esta elaboración del contenido del sueño deja subsistir todos sus enigmas y arbitrariedades y no proporciona más que una equivocada inteligencia de las ideas latentes, siendo necesario prescindir de esta tentativa de interpretación al emprender el análisis.

Esta parte de la elaboración del sueño deja transparentarse mejor que ninguna otra su motivación, que es el *intento de que el sueño resulte comprensible*. El descubrimiento de esta motivación nos revela la procedencia de la actividad a que la misma da origen, la cual se conduce con el contenido del sueño dado como nuestra actividad psíquica normal con cualquier contenido de una percepción que se sitúe ante ella. Nuestra actividad psíquica acoge dicho contenido empleando determinadas representaciones previas y lo ordena ya, al percibirlo, entre las hipótesis comprensibles. Mas, al hacerlo así, corre peligro de falsearlo, y cae, efectivamente, en los más singulares errores, cuando no puede situarlo al lado de algo ya conocido. Sabido es que no podemos contemplar una serie de signos extraños, ni oír una serie de palabras desconocidas, sin falsear primero su percepción, situándolos al lado de algo que nos es conocido, impulsados por la preocupación de la comprensibilidad.

Aquellos sueños que han experimentado esta elaboración por parte de una actividad psíquica totalmente análoga al pensamiento despierto pueden denominarse *bien compuestos*. En otros sueños falta por completo tal actividad; no se ha intentado siquiera establecer en ellos un orden ni una interpretación, y al despertar, sintiéndonos identificados con esta parte de la elaboración onírica, juzgamos que nuestro sueño ha sido «confuso y embrollado». Mas para el análisis tienen tanto valor aquellos sueños que semejan un desordenado montón de fragmentos incoherentes como los que presentan una lisa superficie continua. En el primer caso, nos ahorramos el esfuerzo de destruir de nuevo, por medio del análisis, la elaboración del contenido manifiesto.

Sería, sin embargo, un error no ver en estas fachadas de los sueños más que tales elaboraciones, realmente confusas y asaz arbitrarias, del contenido manifiesto por la instancia consciente de nuestra vida anímica. Para la construcción de la fachada del sueño se emplean con frecuencia fantasías optativas que se hallan ya formadas en las ideas latentes y que son del mismo género que las que conocemos por pertenecer a nuestra vida despierta y llamamos, apropiadamente, «sueños diurnos». Las fantasías optativas que el análisis descubre en los sueños nocturnos revelan ser repeticiones y transformaciones de escenas infantiles, y de este modo nos muestra inmediatamente la fachada del sueño, en algunos de éstos, el verdadero nódulo del mismo, desfigurado por la mezcla con otro material.

Las cuatro actividades mencionadas son las únicas que pueden descubrirse en la elaboración del sueño. Si sostenemos nuestra definición de que el concepto «elaboración del sueño» significa la traslación de las ideas del sueño al contenido del mismo, tendremos que decirnos que dicha elaboración no es, en modo alguno, creadora: no desarrolla ninguna fantasía propia, no juzga ni concluye nada y su función se limita a condensar el material dado, desplazarlo y hacerlo apto para la representación visual, actividades a las que se agrega el último trozo, inconstante, de elaboración interpretativa. Algo hallamos también en el contenido del sueño que quisiéremos considerar como el resultado de una distinta y más elevada función intelectual, pero el análisis demuestra siempre con-

101

vincentemente *que estas operaciones intelectuales han tenido lugar ya en las ideas del sueño, habiéndose limitado el contenido del sueño a acogerlas en sí.* Una consecuencia en el sueño no es otra cosa que la repetición de una conclusión que ha tenido lugar en las ideas latentes, apareciendo incontrovertible cuando ha pasado al sueño sin sufrir transformación alguna, e insensata cuando ha sido desplazada sobre otro material por la elaboración. Una operación aritmética incluida en el contenido manifiesto no significa otra cosa sino que entre las ideas latentes se encuentra un cálculo, el cual es siempre exacto, mientras que la operación que aparece en el sueño puede dar los más absurdos resultados, por condensación de sus factores y desplazamientos, sobre otro material, del modo de realizarla. Ni siquiera las frases que se hallan en el contenido del sueño son de nueva composición, pues se revelan como construidas con fragmentos de frases pronunciadas, oídas o leídas por el sujeto, y renovadas en las ideas latentes, copiando con toda fidelidad su forma, pero prescindiendo por completo de la causa que las motivó y alterando enormemente su sentido.

No es, quizá, superfluo apoyar con algunos ejemplos estas últimas afirmaciones:

1. Un sueño aparentemente inocente y bien compuesto, de una paciente mía.

«Va al mercado con su cocinera, la cual lleva su cesta. El carnicero, al que piden algo, les contesta: *No hay nada,* y quiere despachar otra cosa diferente, observando: "Esto también es bueno". Ella rehúsa la oferta y se dirige al puesto de la verdulera, la cual quiere venderle una extraña verdura, atada formando manojo y de color negro. Ella dice entonces: *No he visto nunca cosa semejante.* No la compro.»

La frase «No hay ya» procede del tratamiento. Yo mismo había explicado a la paciente, días antes, que en la memoria del adulto *no hay ya* nada de sus antiguos recuerdos infantiles, los cuales han sido sustituidos por transferencias y por sueños. Soy yo, por tanto, el carnicero.

La segunda frase: «No he visto nunca cosa semejante», fue pronunciada en otra ocasión, totalmente distinta. El día anterior había exclamado la paciente, al regañar a su cocinera, que, como hemos visto, aparece también en el sueño: «Tiene usted que conducirse más correctamente. ¡No he visto nunca cosa semejante!», esto es, no permito tal comportamiento. El trozo más inocente de esta frase llegó por desplazamiento a incluirse en el contenido del sueño. En cambio, en las ideas latentes sólo el otro trozo de la frase desempeñaba un papel determinado, pues la elaboración del sueño transformó hasta hacerla irreconocible, y darle el aspecto de una total inocencia, una situación fantástica, en la cual yo me *conducía incorrectamente en cierto sentido* con la señora de referencia. Esta situación, esperada en la fantasía, no es, además, sino una nueva edición de una escena realmente vivida por la paciente en ocasión anterior.

2. Un sueño aparentemente insignificante y en el que aparecen números. «Ella quiere pagar alguna cosa; su hija saca de su bolsillo *3 florines 65 céntimos*. Pero ella le dice: "¿Qué haces? No cuesta más de *21 céntimos*.»

El sujeto de este sueño era una señora extranjera, que había hecho ingresar a su hija en un establecimiento pedagógico de Viena y que se sometió a mi tratamiento. En el día del sueño le había indicado la directora del establecimiento la conveniencia de dejar en él a su hija un año más. En este caso hubiera ella podido prolongar por dicho tiempo su tratamiento curativo. Los números del sueño adquieren su significación al recordar que el tiempo es oro. *Time is money.* Un año es igual a 365 días, o expresando en céntimos, a 365 céntimos, 3 florines y 65 céntimos. Los 21 céntimos corresponden a las tres semanas que restaban hasta el final del año escolar, y, por tanto, hasta el día en que habría que dar por terminado el tratamiento. Eran seguramente razones económicas las que habían llevado a la señora a rechazar la indicación de la directora del colegio y las que motivaban la pequeñez de la cantidad que aparecía en el sueño.

3. Una joven señora, casada hacía varios años, supo que una amiga suya de su misma edad, Elisa L., había celebrado sus esponsales. Esta noticia motivó el sueño siguiente: «Se halla en el teatro con su marido. Una parte del patio de butacas está desocupada. Su marido le cuenta que Elisa L. y su prometido hubieran querido ir también al teatro, pero no había conseguido más que muy malas localidades, tres por 1 florín 50 céntimos, y no quisieron tomarlas. Ella contesta que el no haber podido ir aquella noche al teatro no es ninguna desgracia.»

Nos interesa averiguar, en este sueño, de qué ideas latentes proceden los números que aparecen en el contenido manifiesto y cuáles han sido las transformaciones por las que dichas ideas han pasado. ¿De dónde procede la cantidad 1,50 florines? De un motivo indiferente del día anterior. Su cuñada había recibido, como regalo de su hermano, el marido de la protagonista del sueño, la suma de 1,50 florines y se había *apresurado* a gastarlos comprándose un objeto de adorno. Observaremos que 150 florines son 100 veces 1 florín 50 céntimos. Para el número *tres,* de los billetes del teatro, no se encuentra más enlace que el de que Elisa L., la amiga prometida, es precisamente tres meses más joven que la sujeto del sueño. La situación que en éste aparece es la reproducción de un pequeño suceso que motivó las burlas de su esposo. En una ocasión se había *apresurado* a tomar, con gran anticipación, billetes para una representación teatral, y cuando entraron en el Teatro vieron que *una parte del patio de butacas quedaba casi vacía*. No había, pues, necesidad de haberse apresurado tanto a tomar las localidades. No dejaremos, por último, pasar inadvertido el *absurdo* detalle del sueño de que dos personas tengan que tomar tres localidades.

Veamos ahora las ideas latentes de este sueño. Ha sido un *disparate casarme tan joven; no tenía necesidad alguna de apresurarme tanto*. En el ejemplo de Elisa L., veo que no me hubiese faltado un marido, y, además, uno *cien* veces mejor (Schatz = marido, novio, tesoro), si hubiera esperado. *Tres* maridos como éste hubiera podido comprarme con el mismo dinero (dote).

VIII

Después del estudio de la elaboración del sueño, que hemos llevado a cabo en los capítulos que anteceden, nos hallaremos inclinados a considerarla como un proceso *psíquico* especial, sin precedente alguno en nuestro conocimiento. De este modo, recae ahora sobre la elaboración onírica la extrañeza que solía antes despertar en nosotros su producto, o sea, el sueño mismo. De toda una serie de procesos psíquicos a los que debe atribuirse la formación de los síntomas histéricos y de las ideas angustiosas, obsesivas y delirantes, la elaboración del sueño es el primero a cuyo conocimiento nos ha sido dado llegar. La condensación, y sobre todo el desplazamiento, son caracteres que nunca faltan en estos procesos. En cambio, la conversión de ideas en imágenes visuales es privativa de la elaboración onírica. Si de nuestras investigaciones resultase la posibilidad de incluir los fenómenos oníricos entre aquellos que deben su origen a la enfermedad psíquica, tanto más importante sería para nosotros averiguar las condiciones esenciales de procesos como el de la formación de los sueños. Pero aunque parezca extraño y casi increíble, ni el dormir ni la enfermedad pertenecen a estas indispensables condiciones. Una gran cantidad de fenómenos de la vida cotidiana de los sanos: el olvido, las equivocaciones orales, los actos de aprehensión errónea y una determinada clase de errores deben su génesis a un mecanismo psíquico análogo al sueño y a los demás procesos que constituyen la serie antes citada.

El corazón del problema se halla en el desplazamiento, la más singular de las funciones de la elaboración del sueño. Cuando se penetra suficientemente en la materia, se ve que la condición esencial del desplazamiento es puramente psicológica y de la naturaleza de una *motivación,* cuyas huellas aparecen en cuanto se presta atención a ciertos resultados del análisis de los sueños, que no pueden pasar inadvertidos. En el primero de los análisis expuestos tuve que interrumpirme en la comunicación de las ideas latentes, por haber entre ellas algunas que prefería mantener secretas y que no podía revelar sin herir importantes consideraciones. Añadí luego que no traería ventaja ninguna elegir otro ejemplo para comunicar su análisis, pues en todo sueño de contenido oscuro y embrollado llegaría a tropezar con pensamientos que exigirían el secreto. Pero prosiguiendo para sí mismo en análisis, llego a ideas que no conocía existieran en mí y que no sólo me parecen *extrañas,* sino que me son *desagradables* y quisiera negarme a mí mismo, rechazando el análisis cuya inexorable concatenación me fuera, bien a pesar mío, a admitirlas. No puedo explicarme este estado de cosas sino aceptando que tales ideas existían realmente en mi vida psíquica y poseían una cierta intensidad o energía, pero se encontraban en una peculiar situación psicológica, a consecuencia de la cual no podían *hacérseme conscientes.* Este especial estado es el que conocemos con el nombre de estado de *represión.* No puedo entonces por menos que admitir una relación causal entre la oscuridad del contenido del sueño y el estado de represión, o sea, la incapacidad de devenir conscientes de algunas de las ideas del sueño, y me veo obligado a concluir que el sueño tiene que ser oscuro *para no revelar las prohibidas ideas latentes.* De este modo, llego al concepto de la *deformación del sueño,* obra de la elaboración del mismo puesta al servicio de la ocultación de dichas ideas; esto es, del propósito de mantenerlas secretas.

Haré la prueba en el ejemplo del sueño antes sometido al análisis, intentando descubrir cuál es en él la idea que aparece deformada, y que, sin el disfraz adoptado, despertaría mi más enérgica repulsa. Recuerdo que mi gratuito paseo en coche trajo a mi memoria otros, no gratuitos, en los que me acompañaba una persona de mi familia; que la interpretación de mi sueño era la de que yo abrigaba el deseo de gozar alguna vez de un afecto desinteresado; y que poco tiempo antes había tenido que desembolsar una crecida cantidad en favor de la referida persona. Ante estos datos que el análisis me proporciona, no puedo rechazar la idea de que *me duele el desembolso realizado.* Sólo al darme cuenta de este sentimiento adquiere un sentido el hecho de desearme en sueños el goce de un afecto que no me ocasione gasto alguno. Y, sin embargo, puedo afirmar honradamente que al decidir desprenderme de aquella suma no experimenté la menor vacilación. El impulso contrario, mi sentimiento por el gasto efectuado, no se hizo consciente en mí. La razón de que permaneciese inconsciente constituye una nueva cuestión que nos llevaría lejos, y cuya solución, que me es conocida, pertenece a otro orden de cosas.

Al someter al análisis, no un sueño propio, sino el de una persona extraña, el resultado es idéntico, pero varían los motivos de convicción. Si se trata del sueño de un individuo sano, no me queda otro medio de forzarle a la aceptación de la idea reprimida hallada que mostrarle el perfecto enlace de las ideas latentes y dejarle que se resista en vano contra la evidencia. Mas si se trata de un neurótico, por ejemplo, de un histérico, la aceptación de la idea reprimida se hace forzosa para él por su conexión con los síntomas de su enfermedad y por la mejoría que experimenta al cambiar estos síntomas por las ideas reprimidas. En el caso de la paciente que tuvo el sueño antes expuesto de los tres billetes de teatro por un florín cincuenta céntimos, tiene en el análisis que aceptar que estima en poco a su marido, que lamenta haberse casado con él y que lo cambiaría gustosa por otro. Ella afirma, ciertamente, que ama a su marido y que en su vida sentimental no existe desprecio alguno para él (¡otro cien veces mejor!), pero todos sus síntomas conducen a la misma solución que el sueño, y después de hacer resurgir en ella el recuerdo reprimido de una época durante la cual experimentó hacia su marido un desamor totalmente consciente, quedaron reprimidos tales síntomas y desapareció la resistencia que se oponía en ella a la interpretación del sueño.

IX

Después de haber fijado el concepto de la represión y haber relacionado la deformación del sueño con el material psíquico reprimido, podemos expresar ya, con toda generalidad, el resultado capital del análisis de los sueños. De aquellos que se muestran comprensibles y presentan un claro sentido hemos averiguado que son francas realizaciones de deseos; esto es, que la situación del sueño constituye en ellos la satisfacción de un deseo conocido de la conciencia, que ha quedado sin realizar en el día y es digno de interés. Sobre los sueños oscuros y embrollados nos enseña también el análisis algo análogo: la situación del sueño presenta también realizado un deseo que surge regularmente de las ideas latentes, pero la representación es irreconocible, no pudiendo aclararse sino por medio del análisis, y del deseo ha sucumbido a la represión y es extraño a la conciencia o está íntimamente ligado a ideas reprimidas que lo sustentan. La fórmula para tales sueños será, pues, la siguiente: *son realizaciones disfrazadas de deseos reprimidos.* Es muy interesante observar aquí que la opinión popular está en lo justo cuando considera el sueño como predicción del porvenir. En realidad, es el porvenir lo que el sueño nos muestra, mas no el porvenir real, sino el que nosotros deseamos. El alma popular se conduce aquí, según su costumbre, creyendo lo que desea.

Por su carácter de realización de deseos se dividen los sueños en tres clases: en primer lugar, aquellos que muestran *francamente* un deseo *no reprimido.* En segundo, los que exteriorizan *disfrazadamente* un deseo *reprimido;* esto es, la mayoría de aquellos que necesitan del análisis. Y en tercer lugar, aquellos otros que, si bien representan un deseo reprimido, lo hacen *sin* disfraz alguno o con un disfraz insuficiente. Estos últimos sueños suelen presentarse acompañados de *angustia,* sensación que acaba por interrumpirlos, y que es aquí un sustitutivo de la deformación, siendo evitada, por la elaboración, en los sueños de la segunda clase. Puede demostrarse, sin gran dificultad, que el contenido ideológico que nos produce angustia o terror fue en su día un deseo y sucumbió después a la represión.

Existen también sueños cuyo contenido es claro y penoso, pero no produce sensación desagradable alguna. No pueden éstos, por tanto, contarse entre los sueños de angustia, y han servido siempre para demostrar la insignificancia y la falta de valor psíquico de los sueños. El análisis de un tal ejemplo mostrará que se trate de realizaciones, *bien disfrazadas,* de deseos reprimidos, esto es, de

109

sueños pertenecientes a la segunda de las clases establecidas, y nos hará ver, asimismo, con toda claridad, cuán excelentemente lleva a cabo el proceso del desplazamiento la ocultación del deseo prohibido.

Una muchacha soñó que había muerto el único hijo que le quedaba a su hermana, de dos que había tenido, y que su cadáver se hallaba colocado en la misma forma y rodeado por las mismas personas que el de su hermano, fallecido anteriormente. Tal sueño no produjo ningún sentimiento de dolor a la muchacha, pero ésta se resistió luego a aceptar que correspondiera a un deseo suyo. Esto es hasta cierto punto real, pues la verdad del caso es que años atrás había visto y hablado por última vez al hombre a quien amaba junto al ataúd del niño que había muerto. Si ahora muriera el otro, volvería ella seguramente a encontrar a aquel hombre en casa de su hermana. Anhela este encuentro, pero sus sentimientos rechazan la triste ocasión en que podría verificarse. El mismo día del sueño había tomado una entrada para una conferencia que iba a dar aquel hombre, al que seguía amando. Su sueño es, por tanto, un simple sueño de impaciencia, como suelen presentarse de costumbre antes de los viajes, representaciones teatrales u otros placeres vivamente esperados. Mas para ocultar su anhelo, queda desplazada la situación a una ocasión impropia de todo sentimiento de regocijo y que realmente se ha presentado ya una vez. Obsérvese, además, que los afectos que aparecen en el sueño no corresponden al contenido desplazado, sino al verdadero contenido retenido. La situación del sueño adelanta el encuentro tanto tiempo deseado y no ofrece ocasión alguna para una sensación dolorosa.

110

X

Los filósofos no han podido hasta ahora ocuparse de una psicología de la represión. Está, pues, justificado que, aproximándonos al aún desconocido estado de cosas, intentemos formarnos una idea de la génesis de la formación de los sueños. El esquema que nuestras investigaciones generales, y no solamente las del problema de los sueños, nos permiten establecer, es harto complicado, pero no podemos servirnos de otro más sencillo. Suponemos que en nuestro aparato psíquico existen dos instancias generadoras de ideas, la segunda de las cuales posee el privilegio de que sus productos encuentran abierto el acceso a la conciencia, mientras que la actividad de la primera instancia es inconsciente en sí y no puede llegar a la conciencia sino pasando por la segunda. En la frontera entre ambas instancias, o sea, en el paso de la primera a la segunda, se encuentra una censura que no deja pasar sino aquello que le agrada, deteniendo todo lo demás. Lo rechazado por la censura se halla entonces, según nuestra definición anterior, en estado de represión. Bajo determinadas condiciones, una de las cuales es el sueño, se transforma la relación de las fuerzas entre ambas instancias, de tal modo que lo reprimido no puede ya ser reprimido por completo. Esto sucede, hallándose dormido el sujeto, por un relajamiento de la censura, y entonces, lo hasta el momento reprimido consigue abrirse camino hasta la conciencia. Mas como la censura no cesa jamás totalmente, sino que lo que hace es sufrir una disminución, tiene lo reprimido que tolerar transformaciones encaminadas a mitigar aquellos de sus caracteres que provocan la repulsa. Lo que en este caso llega a hacerse consciente es una especie de transacción entre lo intentado por una de las instancias y lo permitido por la otra. *Represión —relajamiento de la censura— transacción,* es también el esquema fundamental de la génesis de otras muchas formaciones psicopáticas y no sólo el de la del sueño. En la formación de tales transacciones obsérvanse siempre, y no únicamente en las oníricas, los procesos de condensación, desplazamiento y utilización de asociaciones superficiales, que hemos observado en la elaboración del sueño.

No tenemos motivo alguno para ocultar el elemento de demonismo que ha intervenido en la construcción de nuestro esclarecimiento de la elaboración del sueño. Los resultados de nuestro estudio nos dan la impresión de que la formación de los sueños oscuros se verifica como si una persona, dependiente de otra, tuviera que exteriorizar algo que había de ser desagradable para esta última. Partiendo de este símil, hemos fijado el concepto de la *deformación del sueño,* y el de la censura, y nos hemos esforzado en traducir nuestra impresión en una teoría psicológica, grosera aún; pero, por lo menos, claramente definida. Sea lo que quiera aquello con lo que un más transparente conocimiento de la materia nos permita identificar nuestras dos instancias, esperamos quede confirmada una parte de nuestra hipótesis: la relativa al hecho de que la segunda instancia rige el acceso a la conciencia y puede impedírselo a la primera.

Cuando el sujeto despierta, la censura recobra rápidamente toda su intensidad y puede de nuevo destruir todo aquello que durante su debilidad ha dejado escapar. Una experiencia innumerables veces confirmada muestra que nuestro *olvido* del sueño demanda, por lo menos en parte, esta explicación. Durante el relato de un sueño, o durante su análisis, sucede con frecuencia que de repente vuelve a surgir un fragmento del sueño que se creía olvidado. Este fragmento, hurtado al olvido, contiene siempre el mejor y más rápido acceso a la significación del sueño, y precisamente por ello estaba destinado al olvido, esto es, a una nueva represión.

Si conceptuamos el contenido del sueño como la exposición de un deseo realizado y atribuimos su oscuridad a las transformaciones impuestas por la censura al material reprimido, no nos será ya muy difícil deducir la función del sueño. En extraña oposición a las opiniones corrientes, que consideran los sueño como perturbadores del reposo del durmiente, tenemos que reconocer que *los sueños son los protectores del dormir*. Para los sueños infantiles será fácilmente aceptada nuestra afirmación.

El niño concilia el sueño obedeciendo a una decisión de dormir, que le es impuesta por una autoridad exterior o es hecha surgir espontáneamente en él por sensaciones de fatiga. Mas para que tal decisión llegue a cumplirse es imprescindible la ausencia de toda excitación que pudiera impulsar al aparato psíquico hacia fines distintos del dormir. Los medios que sirven para alejar las excitaciones externas nos son a todos conocidos. Más ¿cuáles son, en cambio, aquéllos de que disponemos para mantener dominadas las excitaciones psíquicas internas que se oponen a la conciliación del sueño? Obsérvese a una madre que duerme a su hijo. El niño manifiesta sin cesar deseos o necesidades, quiere otro beso, le gusta jugar un ratito más. Estos deseos son satisfechos en parte, y en parte aplazados, por la autoridad materna, para el día siguiente. Es indudable que los deseos o las necesidades en actividad constituyen un obstáculo a la conciliación del sueño. ¿Quién no conoce la divertida historia del niño caprichoso que, despertándose a media noche, grita desde su cama: *quiero el rinoceronte?* Un niño más juicioso, en vez de despertarse y alborotar, hubiera *soñado* que jugaba con el deseado animal. El sueño, que muestra cumplido el deseo, goza del completo crédito mientras el sujeto duerme, y haciendo cesar durante este tiempo el impulso optativo, consigue que el reposo no se interrumpa. No puede negarse que la imagen del sueño es aceptada como verdadera, pues se reviste con la apariencia de una percepción, y el niño no posee la facultad, que se adquiere más tarde, de distinguir entre fantasía, alucinación y realidad.

El adulto sabe ya establecer esta diferenciación; ha comprendido también la inutilidad de desear, y ha aprendido, tras de largos esfuerzos, a aplazar sus impulsos hasta que la transformación de las circunstancias exteriores facilite su realización. Esta experiencia del adulto hace que sean muy raras en él las realizaciones de deseos por el corto camino psíquico del sueño, y hasta es posible que no se presenten nunca y que todo lo que en nuestros sueños aparece formado conforme al patrón de los infantiles precise de una mucho más complicada solución. En cambio, en el adulto —y sin excepción alguna en todo hombre de plena capacidad mental— se ha formado una diferenciación del material psíquico que no existía en el niño, constituyéndose una instancia psíquica que, instruida por la experiencia de la vida, ejerce con celosa severidad una influencia dominadora y coercitiva sobre los sentimientos anímicos, y posee, por su posición con respecto a la conciencia y a la movilidad contingente, los máximos medios de potencia psíquica. Una parte de los sentimientos infantiles ha sido reprimida, como inútil para la vida, por esta instancia, y todo el material de ideas que de dicha parte se deriva se halla en estado de represión.

Mientras la instancia, en la que reconocemos nuestro *yo* personal, se doblega al deseo de dormir, parece obligada, por las condiciones psicofisiológicas del sueño, a perder parte de la energía con la que durante el día mantenía a raya a lo reprimido. Esta negligencia es, sin embargo, totalmente inocente; los impulsos del alma infantil

114

reprimida pueden, sin peligro alguno, seguir agitándose, pues, a consecuencia del mismo estado del sueño, hallarán dificultoso el acceso a la conciencia y cerrado el que conduce a la motilidad. Mas hay que evitar que perturben el sueño. Llegados a este punto, tenemos que arriesgar la hipótesis de que hasta en el más profundo sueño se mantiene vigilante un cierto acervo de libre atención, como centinela contra las excitaciones sensoriales, que a veces consideran más conveniente despertar al sujeto que dejarle proseguir su sueño. De no ser así, sería inexplicable el hecho de que siempre nos despiertan excitaciones sensoriales de una determinada *cualidad,* cosa que ya hizo notar el antiguo fisiólogo Burdach. Así, la madre despierta siempre al menor sollozo de su hijo pequeño; el molinero, en el momento en que su molino cesa de andar, y la mayoría de las personas, a su nombre pronunciado en voz baja. Esta vigilante atención se dirige también hacia las excitaciones optativas internas, procedentes de lo reprimido, y forma con ellas el sueño, que, a modo de transacción, satisface simultáneamente a ambas instancias, creando una especie de desahogo psíquico para el deseo reprimido o formado con ayuda de lo reprimido, representándolo como realizado, y haciendo posible al mismo tiempo el reposo. Nuestro *yo* gusta en esto de conducirse como un niño y presta fe a las imágenes del sueño, como si quisiera decir: «Sí, tienes razón, pero déjame dormir.» El desprecio con que una vez despiertos miramos nuestros sueños, y que fundamos en su confusión y su aparente falta de lógica, no es probablemente más que el juicio que nuestro *yo* durmiente hace recaer sobre los sentimientos procedentes de lo reprimido, juicio que, más razonablemente que el que formamos ya despiertos, se funda en la impotencia motora de tales perturbadores del sueño. Este juicio despectivo se nos hace a veces consciente en el sueño mismo; así, cuando el contenido del sueño traspasa excesivamente la censura, pensamos: «No es más que un sueño», y seguimos durmiendo.

No hay objeción posible contra esta hipótesis, aunque también en los sueños existan casos extremos en los cuales no pueden ya llevar a cabo su función de proteger el reposo —por ejemplo, en los sueños de angustia, pesadillas—, y tienen que cambiarla por otra: la de interrumpirlo a tiempo. Con esto no hacen más que conducirse como el más concienzudo vigilante nocturno, que cumple su deber intentando primero hacer cesar las perturbaciones, para evitar que se interrumpa el sueño de los vecinos, pero que continúa fiel a su cometido al despertarlos en el momento en que las causas del disturbio le parecen sospechosas y no logra hacerlas cesar por su sola intervención.

Esta función del sueño se nos muestra con especial claridad cuando el durmiente experimenta un estímulo sensorial. El hecho de que las excitaciones sensoriales producidas durante el sueño influyen sobre el contenido del mismo es generalmente conocido, ha sido demostrado experimentalmente y pertenece a los escasos resultados seguros de la investigación médica del sueño, a los cuales se ha concedido, sin embargo, un exagerado valor. Pero a este descubrimiento se ha ligado un problema no resuelto hasta el día. El estímulo sensorial que el experimentador hace actuar sobre el durmiente no es acertadamente reconocido en el sueño, sino que sucumbe a una interpretación cualquiera, cuya determinación aparece abandonada al capricho psíquico. Mas sabemos que no existe una tal arbitrariedad psíquica. El durmiente puede reaccionar de muy diversos modos a un estímulo sensorial exterior. O se despierta, o consigue, a pesar de todo, proseguir durmiendo. En el último caso, puede servirse del sueño para suprimir la excitación exterior, y esto también de muy diversos modos. Puede, por ejemplo, llevar a cabo tal supresión soñando hallarse en una situación totalmente incompatible con el estímulo excitante. Así, un sujeto cuyo reposo nocturno corría peligro de ser perturbado por el dolor de un abceso que padecía en el periné, soñó que iba a caballo, sirviéndole de silla de montar la cataplasma que se le había puesto para mitigar sus molestias, y de este modo logró superar la excitación producida. O también —y esto es lo más frecuente— experimenta el estímulo exterior un cambio de sentido, que le incluye en el contexto de un deseo reprimido que espía su realización. Tal cambio de sentido despoja entonces al estímulo de su realidad, y lo trata como un fragmento del material psíquico. De este género es el ejemplo siguiente: un individuo sueña que ha escrito una comedia, en la que defiende una determinada tesis. La obra es representada en el teatro y acaba de terminar el primer acto, con clamoroso éxito. Los aplausos ensordecen... En este sueño el durmiente debió de conseguir prolongar su reposo más allá de la perturbación, pues al despertar no oyó ya ruido alguno, pero juzgó, muy razonablemente, que debían de haber sacudido o vareada un tapiz o un colchón en las cercanías de su cuarto. A los sueños que se producen inmediatamente antes que un intenso ruido despierte al durmiente han intentado todos negarles el esperado estímulo perturbador del reposo, buscándolo otra explicación, y retrasar así un poco más el momento de despertar.

XII *

Aquellos que acepten nuestra hipótesis de que la enigmática oscuridad y confusión de los sueños es debida principalmente a la existencia de una *censura* no se extrañarán de ver entre los resultados de la interpretación onírica el de que la mayoría de los sueños de los adultos se revelan en el análisis como

---

* Adición de 1911.

dependientes de *deseos eróticos.* Esta afirmación no se refiere a los sueños de franco contenido sexual que todos conocemos por propia experiencia, y que hasta ahora han sido considerados como los únicos «sueños sexuales». No obstante su claro contenido, también estos sueños despiertan nuestra extrañeza por su arbitrariedad en la elección de las personas que convierten en objetos sexuales, su desprecio por todas las barreras ante las que en la vida despierta contiene el sujeto sus necesidades sexuales y sus numerosos detalles orientados hacia lo denominado «perverso». Mas el análisis nos muestra que muchos otros sueños que no dejan transparentar nada erótico en su contenido manifiesto se revelan, al ser desenmascarados por la labor interpretativa, como realizaciones de deseos sexuales. Por otra parte, muchas de las ideas sobrantes como *restos diurnos (Tagesreste)* del trabajo mental despierto no llegan a exteriorizarse en el sueño más que por el auxilio de deseos eróticos reprimidos.

En explicación de este estado de cosas indicaremos que ningún otro grupo de instintos ha experimentado un más amplio sojuzgamiento por las exigencias de la educación civilizada como precisamente los sexuales; pero haremos también constar que tales instintos son los que mejor saben escapar, en la mayoría de los hombres, al dominio de las más elevadas instancias psíquicas. Desde que hemos llegado al conocimiento de la sexualidad infantil, que regularmente pasa inadvertida o es mal comprendida, podemos decir justificadamente que casi todo hombre civilizado ha conservado en algún punto la conformación infantil de la vida sexual y comprendemos de este modo que los deseos sexuales reprimidos proporcionan las más frecuentes y poderosas fuerzas instintivas para la formación de los sueños [3].

Si aquellos sueños que exteriorizaban deseos

---

[3] Véase «Tres ensayos sobre una teoría sexual».

eróticos consiguen aparecer inocentemente asexuales en su contenido manifiesto, ello no puede suceder más que de una sola manera. El material de representaciones sexuales no debe ser producido como tal, sino que tiene que ser sustituido en el contenido del sueño por indicaciones o alusiones; pero a diferencia de otros casos de representación indirecta, la usada en el sueño es despojada de la comprensibilidad inmediata. Nos hallamos, pues, en el sueño ante una representación por medio de símbolos, los cuales son objeto de especial interés desde que se ha observado que los sujetos que hablan un mismo idioma se sirven en sus sueños de símbolos idénticos, y también que esta comunidad traspasa en algunos casos las fronteras del lenguaje. Dado que los sueños no conocen la significación de los símbolos por ellos empleados, se nos presenta al principio envuelta en tenebrosa oscuridad la procedencia de su relación con aquello que indican y representan. Mas el hecho mismo es indudable y posee enorme importancia para la técnica de la interpretación de los sueños, pues mediante el conocimiento del simbolismo onírico se hace posible comprender el sentido de elementos aislados del contenido del sueño, de trozos del mismo, o a veces de sueños enteros, sin necesidad de interrogar al sujeto sobre sus asociaciones libres. Nos acercamos de este modo al ideal popular de una traducción de los sueños y retrocedemos, por otro lado, a la técnica interpretativa de los antiguos pueblos, cuya interpretación de los sueños era idéntica a la que se lleva a cabo por medio del simbolismo.

Aun cuando los estudios sobre los símbolos del sueño se hallan muy lejos todavía de un resultado definitivo, podemos ya establecer con seguridad toda una serie de afirmaciones generales y datos particulares que las confirman. Existen símbolos que pueden interpretarse casi siempre del mismo modo. Así, el emperador y la emperatriz (rey y reina) representan a los padres; las habitaciones son símbolo de la mujer y sus accesos significan las aberturas del cuerpo humano. La mayoría de los símbolos oníricos sirve para la representación de personas, parte del cuerpo y actos que poseen interés erótico. Particularmente, los genitales son representados por una gran cantidad de símbolos, con frecuencia sorprendentes en extremo. Los más diversos objetos son empleados para la designación simbólica de los genitales. Cuando agudas armas y objetos alargados y rígidos tales como troncos de árbol o bastones representan los genitales masculinos, y armarios, cajas, coches o estufas los femeninos, el *tertium comparationis,* lo común de tales sustituciones nos es inmediatamente comprensible; mas no en todos los símbolos nos es tan fácil la aprehensión de las relaciones de enlace. Símbolos como el de la escalera o del subir, para el comercio sexual, el de la corbata para el miembro masculino y el de la madera para el órgano femenino excitan nuestra duda en tanto que no llegamos por otros caminos al conocimiento de las relaciones simbólicas. Además, muchos de los símbolos del sueño son bisexuales y pueden referirse a los genitales masculinos o a los femeninos, según el contexto en que se hallen incluidos.

Existen símbolos de difusión universal, que se hallan en los sueños de todos los individuos pertenecientes a un mismo grado de civilización o que hablan un mismo idioma, y otros de limitadísima aparición individual, que han sido formados por el sujeto aislado utilizando su material de representaciones propio. Entre los primeros se distinguen aquéllos cuya aparición a representar lo sexual se halla suficientemente justificada por los usos del idioma (por ejemplo, los símbolos procedentes de la agricultura: reproducción, semilla), y otros cuya relación con lo sexual parece alcanzar a los más antiguos tiempos y a las más oscuras profundidades de la formación de nuestros conceptos. La fuerza creadora de símbolos no ha desaparecido aún en nuestros días. Puede observarse que determinados descubrimientos modernos (tales como los globos dirigibles) son elevados en el acto a la categoría de símbolos sexuales de empleo universal.

Es equivocado esperar que un más fundamental conocimiento del simbolismo del sueño («del lenguaje de los sueños») nos permita prescindir de interrogar al sujeto por sus asociaciones y nos conduzca de nuevo y por completo a la técnica de la antigua interpretación de los sueños. Aparte de los símbolos individuales y de las variantes en el empleo de los universales, no se sabe nunca si un elemento del sueño debe interpretarse simbólicamente o conforme a su verdadero sentido, y se sabe, en cambio, con seguridad, que no todo el contenido del sueño debe interpretarse simbólicamente. El conocimiento del simbolismo del sueño nos proporcionará tan sólo la traducción de algunos componentes del contenido manifiesto, pero no hará innecesarias las reglas técnicas antes expuestas. En cambio, constituiría el más importante medio auxiliar de la interpretación en aquellos casos en que faltan o son insuficientes las ocurrencias del sujeto.

El simbolismo del sueño resulta también imprescindible para la inteligencia de los llamados sueños «típicos» de los hombres y de los sueños «repetidos» del individuo aislado. Si el estudio de la forma expresiva simbólica del sueño ha resultado demasiado incompleto en esta breve exposición, ello está justificado por un hecho que pertenece a los más importantes entre los que con estos problemas se relacionan. El simbolismo onírico va mucho más allá de los sueños. No pertenece a ellos como cosa propia, sino que domina de igual manera la representación en las fábulas, mitos y leyendas, en los chistes y en el folklore, permitiéndonos descubrir las relaciones íntimas del sueño con estas producciones. Mas debemos tener en cuenta que no constituye un producto de la elaboración del sueño, sino que es una peculiaridad — probablemente de nuestro pensamiento inconsciente— que proporciona a dicha elaboración el material para la condensación, el desplazamiento y la dramatización [4].

XIII

No aspiro a haber esclarecido todos los problemas de los sueños, ni tampoco a haber resuelto convincentemente lo expuesto y discutido en estos ensayos. Aquéllos a quienes interese la literatura sobre los sueños en toda su amplitud pueden consultar el libro de Sancte de Sanctis titulado *I sogni* (Turín, 1899), y los que quieran hallar una más honda cimentación de la teoría por mí expuesta pueden ver mi obra titulada *La interpretación de los sueños.* Por último, indicaré en qué dirección creo debe proseguirse la labor investigadora.

Cuando fijo como labor de una interpretación de los sueños la sustitución del sueño por las ideas latentes del mismo, o sea, la solución de lo que la elaboración del sueño ha tejido, planteo, por un lado, una serie de nuevos problemas psicológicos que se refieren tanto al mecanismo de esta elaboración del sueño como a la naturaleza y condiciones de la llamada represión, y, por otro lado, afirmo la existencia de las ideas latentes como un rico material de formaciones psíquicas del orden más elevado, y provistas de todas las características de una función intelectual, material que escapa a la

---

[4] Sobre el simbolismo de los sueños se hallarán otros datos en los antiguos libros sobre la interpretación de los mismos (Artemidoro de Dalcis, Scherner. *Das Leben des Traumes,* 1861) y, además, en nuestra *Interpretación de los sueños,* en los trabajos mitológicos de la escuela psicoanalítica y, ante todo, en los trabajos de W. Stekel *Die Sprache des Traumes,* 1911).

conciencia hasta que le da noticias de sí por medio del contenido del sueño. Debo asimismo admitir que tales pensamientos existen en todo individuo, dado que casi todos los hombres, hasta los más normales, sueñan. A lo inconsciente de las ideas del sueño y a su relación con la conciencia y con la representación se enlazan otros problemas de gran importancia para la Psicología, pero cuya solución habrá de aplazarse hasta que el análisis haya esclarecido la génesis de otras formaciones psicopáticas, tales como los síntomas histéricos y las ideas obsesivas.

UNA PREMONICION ONIRICA
CUMPLIDA [1]

La señora de B., una excelente persona, dotada además de agudo sentido crítico, me refiere, sin conexión aparente con el resto de la conversación y sin ninguna segunda intención, que en cierta oportunidad, hace ya algunos años, soñó que se encontraba con su amigo y antiguo médico de cabecera, el doctor K., en plena Kärntnerstrasse [2], ante la tienda de Hies. A la mañana siguiente, pasando por esa calle, se encuentra efectivamente con dicha persona en el mismo lugar que en el sueño. He aquí el tema del sucedido. Sólo agregaré que ningún hecho ulterior vino a revelar el significado de esta coincidencia milagrosa, o sea, que la misma no puede ser explicada por nada ocurrido en el futuro.

El análisis del sueño es facilitado por el interrogatorio, que establece la imposibilidad de demostrar que haya tenido el menor recuerdo del sueño antes de su paseo, es decir, durante la mañana siguiente a la noche en la cual lo soñó. Tal demostración consistiría, por ejemplo, en haber anotado o comunicado a alguien el sueño antes de que se cumpliera su premonición. Por el contrario, la señora en cuestión debe aceptar sin reparos la siguiente sucesión de los hechos, que considero la más probable. Una mañana se pasea por la Kärntnerstrasse y se encuentra con su viejo médico de

[1] Publicado en las *Obras póstumas* (1941), bajo el título «Eine erfüllte Traumahnung».

[2] Calle principal del centro de Viena. (N. del T.)

familia ante la tienda de Hies. Al verlo, se siente convencida de que la noche anterior ha soñado con ese preciso encuentro en ese mismo lugar. De acuerdo con las reglas vigentes para la interpretación de los síntomas neuróticos, tal convicción debe considerarse como justificada. Su contenido, empero, requiere una interpretación.

Entre los antecedentes de la señora de B. hay un episodio relacionado con el doctor K. Siendo aún joven, fue casada sin su pleno consentimiento con un hombre de cierta edad, pero adinerado, el cual pocos años después perdió su fortuna, enfermó de tuberculosis y murió. Durante varios años, la joven esposa tuvo que mantenerse a sí misma y a su marido enfermo dando clases de música. Con todo, halló amigos en su infortunio, uno de los cuales fue su médico de familia, el doctor K., que se dedicó a la asistencia del marido y la vinculó a ella con sus primeros alumnos. Otro amigo era un abogado, por coincidencia también un doctor K., que puso algún orden en las caóticas finanzas del comerciante arruinado, pero al mismo tiempo cortejó a la joven mujer y también despertó en ella la pasión por primera y última vez. Este amorío no llegó a hacerla realmente feliz, pues los escrúpulos creados por su educación y por su mentalidad le impidieron abandonarse a su pasión mientras estaba casada, y también más tarde, cuando ya era viuda. En la misma ocasión en la cual me narró el sueño, la señora de B. refirió asimismo una ocurrencia real de ese período desgraciado de su vida, ocurrencia que, en su opinión, encierra también una notabla coincidencia. Hallábase en su cuarto arrodillada en el suelo, con la cabeza reclinada en el sillón, y sollozaba presa de apasionado anhelo por su amigo y protector, el abogado, cuando en ese mismo momento se abrió la puerta, al venir éste a visitarla. Nada de extraño vemos en tal coincidencia, si consideramos cuán frecuentemente ella pensaba en él y cuán a menudo éste la habrá visitado. Además, casualidades como ésta, que parecen preconcertadas, se encuentran en todas las historias amorosas. Sin embargo, esta coincidencia quizá represente el verdadero contenido de su sueño y el único fundamento de su convicción de que aquél llegó a cumplirse.

Entre dicha escena, en la cual se cumple un deseo, y este sueño median más de veinticinco años. En el interin, la señora de B. llegó a enviudar de un segundo marido, que le dejó un hijo y cierta fortuna. El afecto de la anciana señora sigue dedicado a aquel doctor K., que es ahora su consejero y administrador de sus bienes, y a quien suele ver a menudo. Supongamos que durante los días anteriores al sueño esperó una visita de él, pero que ésta no haya tenido lugar, pues el antiguo cortejante ya no se muestra, ni mucho menos, tan asiduo. Es posible entonces que durante la noche haya tenido un sueño nostálgico que la transportó a los tiempos idos. Su sueño se refirió con toda probabilidad a una cita de la época de su pasión, y la cadena de las ideas oníricas conduce hacia aquella ocasión, en la cual, sin ningún concierto previo, él llegó precisamente en el momento en que más lo anhelaba. Es probable que actualmente tenga a menudo sueños de esta especie; forman parte del castigo diferido con el cual la mujer paga su crueldad juvenil. Tales sueños, sin embargo, siendo derivados de una corriente coartada de ideas y plenos de reminiscencias a aquellas citas que ya no gusta recordar después de su segundo matrimonio, son eliminados apenas se halla despierta. Posiblemente esto haya ocurrido también con nuestro sueño pretendidamente profético. Luego sale de paseo, y en un punto de la Kärntnerstrasse, que en sí mismo no tiene importancia, se encuentra con su viejo médico de familia, el doctor K., a quien no ha visto desde hace tiempo. Este se halla íntimamente vinculado a las excitaciones de aquel período feliz y desgraciado a un tiempo, pues también él fue un protector, y podemos aceptar que en sus pensamientos, quizá también en sus sueños, ella lo use como un personaje encubridor, tras el cual oculta la figura más amada del otro doctor K. Este encuentro reanima entonces su recuerdo del sueño. Ella tiene que haber pensado: «Es cierto: anoche he soñado en mi cita con el doctor K.» Pero este recuerdo debe sufrir la misma deformación a la cual el sueño sólo pudo escapar merced a que ni siquiera fue recordado. En lugar del amado K. coloca al K. indiferente, que es quien le ha recordado el sueño; el contenido mismo del sueño —la cita— se transfiere a la convicción de haber soñado precisamente con ese lugar, pues una cita consiste en que dos personas acuden a un tiempo a un mismo lugar. Si en tal caso surge la impresión de que una premonición onírica ha llegado a cumplirse, ello sólo significa la reactivación de su recuerdo de aquella escena en la cual había anhelado, sollozando, su presencia, y tal anhelo inmediatamente se había cumplido.

Así, la creación de un sueño después del suceso al cual se refiere, como único mecanismo que posibilita los sueños protéticos, no es sino una forma más de la censura que permite al sueño la irrupción a la consciencia.

10 de noviembre de 1899.